我所理解的生活 韩寒/著

浙江文艺出版社

目录

我是

代跋

序

我所理解的生活

做自己喜欢的事情，和自己喜欢的一切在一起。

多天前参加比赛，来了一个久未见面的朋友，他现在的工作是给明星做经纪。整个周末他都在我们车队的帐篷里。周日分别，他对我说，其实你的自我开发做得并不好，形象管理有问题，如果有职业经纪人帮你打理一下，必然远不是今天的模样。这样，回去给你一个总结的邮件。

刚才他打来了电话说，你问题太多，邮件说不清楚。比如你在比赛那天一直"双反"，你知道么？我当时就晕了，我只知道"双规"和"单反"，"双反"还真不知道。弄半天才明白，所谓"双反"，原来是衣服穿反了，而且内外和前后都反了。我说，我出门太急，真没注意，也没人提醒我，难怪一整天都觉得脖子有点勒。

朋友说这个问题不大，你本来就粗心，容易被人取笑。更要命的是，你在车队帐篷的沙发上乱睡觉。你睡觉的时候总共有十二个人来拍过你的睡姿，五个是挂记者证的，四个是车队成员，三个是其他车手，其中有两个是故意拍丑态大头照的。我查了一下，其中五个人发微博了。有一张照片很难看，影响形象，你身边也没人拦着人家拍照，这在我们这行里是绝对不允许的。我说这我也没办法，熬夜看欧洲杯，的确睡眠不够，你叫我怎么能睡得玉树临风？

朋友继续教育我，面部表情是其次，关键是你团着身子睡，手还一直塞在自己的裆部，这个猥琐的动作绝对是破坏形象的。照片如果上传，有些网友看见了容易反感。我说我又没把手塞在那些网友的裆部，我碰了自己的鸟，关他们鸟事，反感就拉倒呗。朋友说，不是这样的，你是一个公众人物，现在又是微博时代，谁都能随手拍，越夸张传播越快。你要确保自己的每一张照片都不能影响你的形象，比如你的手放的位置不对，很容易被一下转发数千条。我说，这我实在没办法，空调温度太低了，只要一冷，我就自动睡成捂裆派了，从小就这样。总不能我睡觉的时候，雇几个保镖拦着不让拍照，这也太装逼了。

朋友还指出了一堆问题，比如随意跟人合影，人家递过来什么都签，这会留下隐患。我说，不，人家如果递过来一百块人民币我就不签。朋友肯定道，不错，你还算有这个意识，我们行业里有明星在递过来的钞票上签字，结果被网友骂死，破坏人民币肯定不好。我说不是的，是因为我不想把自己的名字和老毛放在一起。

朋友痛心疾首道，你看，你这种话不能乱说，得罪的人太多。你在车队聊天也是这样，什么都说，而且常说脏话。你要知道，如果现场有一个不怀好意的，把你说的那些用手机录下来，放到网上，是很大的负面新闻。你知道当时帐篷里多少人？十八个！你都认识么？我回答说，有几个不认识。朋友的听筒差点掉地上，有几个不认识你就那么说话？你考虑过后果么？你一睡醒就和人合影，有一撮头发翘得跟天线宝宝似的，人家还开着闪光灯，照片效果可想而知。你看你衣服的配色，是很乡土的，最关键是，再不拘小节，裤子拉链还是要拉上的。总之，你太随便了，也没有一个专业点的经纪人帮你，你如果不严格地对自己的形象进行系统的管理，就不能保持神秘感和名人气质。你如果对自己有一个好的定位，有合适的人帮你运作和服务，调整一下你的社交圈子，你能赚得远比现在多得多。你告诉我，你打算怎么经营自己？你是怎么想的？

我说，整个周末我只在想一个问题，我和对手差了零点三秒，我该怎么追回来？我能惦记着出门要穿衣服已经不错了，哪还顾得上搭配？

挂了电话，夜深人静，回想朋友所言，有些也对。我在帐篷里口无遮拦，对所有人都没有设防，要是真有人偷拍偷录或者微博直播，的确会惹麻烦。对陌生人提防与否取决于你的出厂原始设定，我喜欢先把人设定成好人，再从中甄别坏人，有些人则反之。但所谓的甄别方式其实就是被坑一次。我相信以诚相待，也相信倒霉认栽。

至于衣着，这个夏天我就买了十件白T恤，以往冬天也就两件黑皮衣，鞋子就盯着那么一两双穿。我是去比赛的，又不是去比美的，赛车开砸了我在乎，衣服穿难看了我真不在乎。

我所理解的生活就是除了造谣以外，去造其他一切东西。我心中的造化，就是创造了多少文化。

既然三十年前，我以一挑亿，跑赢了其他所有的精子，那么我必然生来就是牛逼的。我来到这个世上，总要留下点痕迹。我承认衣着光鲜、举止优雅也是一种对美好的创造，但这方面我不太拿手。我承认在这个社会，很多人觉得你只要不说脏话，说点假话、空话、套话，造谣，大肆地造谣，疯狂地造谣都不算是道德败坏。但我觉得反之，并且还要对道貌岸然的傻逼们加一个"操"字。是的，这会让那些道德惊诧家们浑身颤抖，严厉批判，大呼小叫，满地打滚，然后突然起立，开始审判。我的解决之道就是再说一次，操。我就操了，但我既不操你也不操你全家，我操这世道，这世道觉得文绉绉的诬陷没问题，这世道让那些不说粗话但最缺德的人能做道德评判家，这世道让那些话不脏但心眼脏、手段脏的人当道，这世道能任意颠倒黑白、混淆是非，这世道觉得公众人物或者随便谁说一个"操"字就不应该，那就操翻这世道。

我所理解的生活就是做着自己喜欢的事情，养活自己，养活家人。

生活不是攀爬高山，也不是深潜海沟，它只是在一张标配的床上睡出你的身形。我也不觉得留有遗憾是一种缺憾美，相比之下，干砸了倒是一种美。我喜欢的事情远不止写作和赛车，我还做很多事，有些做得不够好，有些做得很失败。

和朋友聊天时，我直接告诉他们，这事我特喜欢，也干过，但我真的不适合，丢人了。我就最讨厌听见有人这么说，要是我去干这事，一定比某某某干得好。滚。你在台面上看见我成功一次，我在台面下就干砸十次，那又如何，我又没死，不停地干就行了，人们只会记住你成功的那一次。

我所理解的生活就是和自己喜欢的一切在一起。

我曾经在快餐店看上一个姑娘，犹豫五分钟，没敢去和人家说话，结果人家走了，到现在都很遗憾。那一刻，我就是白痴，去了又如何，最坏的结果无非就是她男朋友从厕所里出来。哪天若要死了，遗憾这事没干，那事没干，还不如自吹这事干成了，自嘲那事干砸了。

我现在干的事足够多，陪伴家人爱人和孩子，每年比赛接近二十场，又开始写新的小说和游记，除了偶然进棚拍杂志，其他时间真没有精力来捯饬自己，更没心思去考虑什么形象和定位问题。觉得我观感欠佳的，挪步就是。我只负责制造作品，不负责用户体验，也没有售后服务，更不会根据大家的口味来改进。你若喜欢，便是晴天；你若讨厌，也是晴天。

　　谢谢这位朋友给我的忠告和精心的设计，我知道我会为我的性格和生活方式吃无数亏、吞无数恶果，但至少大到理想、小到闪念，我几乎都没有放过。所以就算我的生活里充满挫败甚至后悔，但遗憾并不多。

　　朋友，感谢你所说的一切。世间万千种宠爱，无数种人心，得之我幸，不得我也没什么不幸。我只认可一点，就是出门再匆忙，裤子拉链还是得拉好。

国事

太平洋的风

我们所炫耀的，他们的纳税人不会答应；我们所失去的，他们都留下了；我们所缺少的，才是最能让人感到自豪的。

空客320降落在台北桃园机场，触地的震动把我惊醒。

手机里正好播放到张艾嘉的《戏雪》，这算是一首生僻的歌，陈升写下这样的词："1948年，我离开我最爱的人，当火车开动的时候，北方正飘着苍茫的雪，如果我知道，这一别就是四十余年，岁月若能从头，我很想说，我不走。"

对于台湾，我的印象一直停留在侯孝贤和杨德昌的电影里。后来魏德圣和九把刀又加工了一下。我喜欢的作家，梁实秋、林语堂、胡适也都去了台湾，而且他们都和鲁迅吵过架。当内地穷的时候，台湾有钱；后来内地有钱了，台湾又有了……

战火把同一个民族的人分隔在了海峡两岸，那些具体到每个家庭的悲欢离合已经被时间慢慢抹平。台北的街道的确像优客李林唱的那样，像迷宫一样展开在我眼前。但是对于异乡人，每个陌生的城市都是迷宫。

在酒店住下，诚品书店就在旁边。朋友的眼镜架坏了，于是晚上先陪着朋友去配眼镜。我们坐计程车来到台大附近，进了一家眼镜店。没有声音酥麻的台妹，老板亲自上阵。朋友看中了一副镜框，但要几天以后才能取。朋友说，那算了，我在台湾只留三天，我要明天就能取的，只能去别的地方看看。这时候，让我诧异的一幕出现了，老板居然从柜台里摸索出了一副隐形眼镜，塞在我朋友手里，说，实在不好意思，没能帮上你的忙，这个送你，先用这个应急吧。如我这般总是把人往好里想的人第一反应也是：我靠，哪有这种好事？这里面是有什么猫腻吧？咱还能走出这家店的店门么？

我们平安地走出了这家眼镜店，去了隔壁一家。那家眼镜店承诺第二天就可以把眼镜修好，然后那家店的老板用朋友残留下的镜片临时找了一个镜框凑合装了起来，告诉朋友，这个可以晚上用。这两家只是非常普通的路边眼镜店，还是随机找的，要不真得让人怀疑是不是组织方安排的，目的是让大家增加对台湾的好感。

台湾的街道上有不少小游行和抗议横幅，这一切对于大部分内地游客来说都太新鲜了，于是很多游客守着电视机看晚上的政论节目。我妈妈去年从台湾旅游回来，就说那里太好玩了，领导人可以在电视里随便骂，比"快乐大本营"还要欢乐。相比之下，台湾人对这些早就习以为常。

但给我留下了比马英九先生更深印象的是王松鸿先生——他不是明星政客，也不是文人墨客，他是一个计程车司机。

一天早上，我从酒店下楼，打了他的车去阳明山。到了目的地后，我发现把手机落在了出租车上。我没有记下车牌号。朋友们忙着帮我联系出租车公司，看看能不能查到一些讯息，我也打电话给酒店，想让他们查看一下监控录像，确认车牌号。一会儿，我接到了酒店的电话，我问他们，是查到车号了么？他们说，监控录像里讯息太多，还没有查到，但是刚才有一位出租车司机开回酒店，把一个手机交给了前台，说是一位从你们这里上车的先生遗落在车里的……

说实话，我石化了。我问到了出租车司机的电话和名字，打电话说，我想酬谢你。王松鸿说，不需要啦，很正常的，小事一桩，我们都是这样的。他告诉我，前几天刚和几个朋友环岛开了一圈，打算过一段时间去内地旅行。他说他开计程车就是为了能够去更多的地方看看。末了居然还来一句：我有QQ和新浪微博的，你的号是什么，我们可以在网上联系的。这顿时让我觉得两岸关系非常亲密。接着，他继续说，你有脸书么？我说，内地的互联网没有脸……书。他说，哦，对哦，是哦。我不和你说了，有客人了，再联系哦。

也许是我的命好，遇见的都是好人，也许是我走得"肤浅"，几乎所有人都和气。毫无疑问，如果我在台湾多停留几天，当然能看见它不如人意的一面，也许它硬件不够新，也许它"民粹"也涌现，也许它民怨从不断，也许它矛盾也不少。没有完美的地方，没有完美的制度，没有完美的文化，在华人的世界里，它也许不是最好的，但的确没有什么比它更好了。

作为一个从内地来的写作者，我非常失落。这种失落并不是来自于这几天浅显的旅行，而是一直以来的感受。

我失落在不知道我们的后代能不能生存在一个互相理解而不是互相伤害的环境之中；我失落在当他人以善意对我的时候，我的第一反应居然是会不会有什么阴谋；我失落在我们自己的文艺作品很少能够在台湾真正流传，而能在台湾流传的关于我们的大多是那些历史真相和社会批判的作品；更让人失落的是那些作品往往都是被我们自己买了回去，用于更加了解我们自己。除了利益和人与人之间的斗争，我们几乎对一切都冷漠。这种冷漠和荒诞所催生的新闻都被世界各地的报纸不停地放在头版，无奈地成了这个民族的注释。

是的，我要感谢香港和台湾，他们庇护了中华文化，把这个民族美好的习性留了下来，纵然他们也有着这样那样令人诟病的地方。而我们，纵然有了丽兹卡尔顿和半岛酒店，有了GUCCI和LV，我们的县长太太也许比他们最大的官员还要富有，我们随便一个大片的制作成本就够他们拍二三十部电影，我们的世博会和奥运会他们永远办不起，但走在台湾的街头，面对那些计程车司机、快餐店老板、路人们，我却一点自豪感都没有。我们所拥有的，他们都拥有过；我们所炫耀的，他们的纳税人不会答应；我们所失去的，他们都留下了；我们所缺少的，才是最能让人感到自豪的。

坐在空客330的机舱里，飞翔在两万英尺的高空，一个半小时就到了上海，窗外望去，都是海水。既然我们共享着太平洋的风，就让它吹过所有的一切。

什邡的释放

> 愿扛住了八级地震的人们，能扛住追打；也愿扛住了八级地震的政府大楼，能扛住追问。

四年前，汶川地震，我去四川。隐约记得地震几天后，政府为了防止瘟疫的发生和蔓延，决定捕杀在街上没有主人的狗。作为一个特别喜爱狗的人，虽然觉得难过，但在非常时期对这个决议表示理解。告别四川，我捡回来一条没有主人的狗，经过检疫，将它带回了上海。之所以提起此事，是因为这条狗来自什邡市的红白镇。

什邡这两个字被再次提起。回想起四年前在什邡的一路上，两边都是被摧毁的巨型工厂，军队在平地驻扎。这些场景，似幻似虚。

我想到自己的家乡，上海化工重区金山区亭林镇的一个农村。

我目睹着故乡是如何从一个绿水炊烟、空气新鲜的地方变成今天这样。十年，只用了十年，老家已经变成河水如染料、空气似毒药的地方。当年发展这些污染严重的工业项目时，他们骗村民说要发展GDP，只有税收多了，才能造福大家。十年过去，村民们的生活和福利状况比起以前没有很大改善，但我们再呼吸不到新鲜空气了。我老家的那条河更是惨不忍睹，一周七色，看一眼就知道今天是礼拜几。亭林镇的老百姓选择了忍，因为环境部门的检测报告显示，一切合格。是，做人做事，如果没有了下限，可不什么都合格么？可你见过连小龙虾都活不下去的水质么？

中国的老百姓和小龙虾很像，最能忍最能扛，在什么样的环境下都能生存，虽然有两只钳子，但常被人在背后捅刀，而且也夹不到对方。一有惊吓，第一反应就是往后退。

我想对什邡政府说，这不是地震的非常时期，人们对于自己生存环境的诉求是必须被尊重的。你领导几年换一届，以对环境的破坏换一些漂亮的纸面业绩，干好了升迁，干砸了入狱，最好的移民，最差的枪毙，你不在那片土地上了，只有平民百姓还在那。虽然什邡政府决定，停止激起众怒的钼铜项目，但积怨一定不只是因为钼铜而已。原本是一个钼铜项目利弊的问题，现在演变成了群体事件。愿什邡人的抗争能够理性、聪明和安全，求谈判，勿破坏，不要给人留下"暴民、动乱、打砸抢"的证据和口实。

还想对什邡政府说，你们驱散群众的决定太突然，方式太夸张了。

我能理解，作为一个地方政府，没有处理类似群体事件的经验，一看政府门口被人围着了，牌匾都给砸了，自然不爽，低头一看人群，抬头一看挂历，我去，组织的生日，心想局势不妙，日子不巧，大事不好，乌纱不保，赶紧驱散了再说，不祝寿也算了，还来砸场子，太不给面子了。可以想象当时决策层下令：务必要在最短的时间内解决问题。执行层一想，最短的时间内……驱散……明白了……洞幺洞幺……于是连最基本的对话都没有了。

你们难道是把人们对生存环境被破坏的愤怒当成了瘟疫来处理，必须当天扑灭？经历过汶川地震的什邡政府难道不知道，人们的情绪积累越多，释放得就越多？当人们释放愤怒，哪怕是被夸大或煽动的愤怒的时候，你们最应该做的，难道不是释放诚意，而是让人们更加愤怒？

我不是专家，对于钼铜项目没有什么发言权，只是觉得群众事件不能这样处理。如此草率的处理方式，只会扩大事态。我关心什邡市，也等于在关心亭林镇。

愿扛住了八级地震的人们，能扛住追打；也愿扛住了八级地震的政府大楼，能扛住追问。

已来的主人翁

我们站起来，走出去，坐下来，并不一定是为了那些空泛的大词，可能只为了一件事、一个人、一棵树、一家厂。

知道了很多关于什邡的消息，真真假假，甄别半天，能够基本肯定的是，什邡有难，八方支援，年轻的90后很了不起。很多什邡人在政府门口要求释放年轻的学生，还有从广汉来的学生队伍支援，因为被抓的学生中不少来自广汉。另外有消息说，什邡维权的源头就是因为一些90后的学生去政府门口请愿。好在政府最后释放了这些学生，只拘留了其他六人。很多人都说因为汶川地震改变了对80后的看法，那什邡则让很多人改变了对90后的看法。

如果市民行为越界，被警方拘留，受到法律惩罚，我对此毫无异议；但是如果警方越界，警方是否也要道歉？从什邡市政府发布的微博来看，依然用词迂腐、语气强硬、毫无歉意，大有"朕不修宝殿了，且饶你不死"的感觉，甚至喊出了"坚决维护人民群众合法权益、坚决维护社会和谐稳定大局"这样的口号，这两句话在当时的情形下，明显不能同时达成。尽管在"活力什邡"这个官方账号上骂声一片，但我还是要说有进步。这个官方账号以性冷淡的语气，告诉了一大帮荷尔蒙乱飞者事态的进展，且基本没有说谎。在当今中国，这已经很少见了。他甚至还会使用长微博，这就好比某个当官的突然冒出来一句"节操碎一地"般让人新奇。每一个进步都值得鼓励。然后……继续批评。

回到90后的学生们身上，他们值得赞美，但有些事情，也值得反思。

在一组照片中，我发现一个"10后"受了轻伤——还是个婴儿。我很愤慨，作为一个一岁多女孩父亲的我，连夜写下了《什邡的释放》，但今天缓过劲来一想，孩子父母没事抱着婴儿上街凑什么热闹？一定要保护好自己和家人，这不是庙会，不是狂欢，更不是暴乱，请尽量别拖老带幼，因为我们做的一切，就是为了我们的孩子。我可以吃地沟油，但我不想让我的女儿吃地沟油；我可以呼吸差的空气，但我不想让我的女儿呼吸差的空气；我可以生活在××之中，但我要我的女儿生活在××的反义词之中。

原本我以为，80后、90后都是要牺牲掉的一代人，但我现在觉得，也许我们自己也可以完成父辈未竟的愿望。这些人，都是未来的主人翁。现在，他们已经来了。世界是你们的，也是我们的，但归根结底是他们的。什邡政府的官员们应该是我的父辈，看看这些80后、90后，作些改变吧。我知道你们已经作了很多退步和妥协，来一起完成一件好事吧。

在一个国家走向完善和民主的道路上，我们站起来，走出去，坐下来，并不一定是为了那些空泛的大词，可能只为了一件事、一个人、一棵树、一家厂。也许事关自己，也许无关自己，就像什邡的污染再怎么样也飘不到上海，但是我知道，我们每个人，终会遇到这一天，到时候，我们一样需要你的理解和支援，远方的朋友们。

跳出棋盘的棋子

如果热血，没洒对地方就会变成鸡血；如果奉旨，演过了头就会被千夫所指。

一、我常会根据朋友们各自的用车需求介绍不同的车给他们，德国车居多，但身边依然有不少人选择日本家用车。没有人在买日本车的时候考虑的是支持日本抢夺中国领土，只是因为实惠、省油、好修。最近一两年，身边买日本车的朋友少了，也只是因为汇率的浮动，日本车不再便宜，相反很多德国车甚至奔驰宝马奥迪都跌进了十几二十万。钱都是辛苦赚的，实惠总是排在第一的。越是生存压力大的社会里，日本车往往就会越吃香。

二、上街和平表达对日本的不满，完全没问题，尊重个体选择。以前我会笑话，现在我无所谓支持或者反对，但我肯定不会去，原因是我要将我的处女游行郑重献给欺负我、侵犯我的权利最多次的地方。至于打砸抢的，一定要受法律惩罚，否则我也许会怀疑这背后有官方动作。

三、我参加拉力赛用的是一辆日本品牌的赛车，有一位热血朋友劝我换一辆它的竞争对手击败它，挫日本人士气。我告诉他，在拉力赛最常规的N4规则里，有两种品牌的赛车可以选择，很遗憾另外一种——就是它的竞争对手——也是日本品牌。这辆赛车中，变速箱来自英国，避震器来自瑞典，发动机电脑来自澳大利亚，差速器来自德国，唯一来自中国的是车门边的杂物袋，还有，它是由中国的工人辛苦拼装出来的。这挺像这个世界运行的方式。我参加的另外一个赛事用的是一辆德国赛车，但它的刹车系统、轴承和很多部件都来自日本。让世界获得尊重的方式就是，我们能生产出一样甚至更好的赛车以及改装部件。

四、开美国车、开德国车，开意大利餐厅、开法国餐厅的，也别觉得自己买对了东西、做对了生意，可以置身事外，安然无恙。中国和国际社会擦枪走火的机会多的是，这次是领土，下次就不知道是什么了。更别以为用国货就安全，上海和北京，广东和吉林，谁说就不会掐起来？你掀了我的上海大众，我掀了你的一汽大众，也不是不可能的，当然其中必然有一些被搞不清楚车型的友军误掀的。

在这个一点就着、一煽就旺的社会里，每个人的私有财产都是不安全的。

五、建议新闻媒体在报道这些严重侵犯同胞利益的新闻时，不要扯上"爱国"两字。国哪是这样爱的？这个世界上，有的国家让人尊敬，有的国家让人害怕，再这样砸下去，恐怕我们国家只能让人笑话了。可不是么？要么没人敢欺负我；要么你欺负我，我欺负你；要么你欺负我，我兄弟欺负你；最不济也是你欺负我，我欺负你兄弟；从来没听说过你欺负我，我欺负我兄弟这种模式。

这几天在比赛，车队来自欧洲的技师知道中国和日本有摩擦，但看见互联网上的打砸照片就非常不理解：钓鱼岛的契约难道是藏在中国人自己的后备箱里么？民族崛起的秘籍难道是刻在其他人爱车的底盘上么？这究竟是在反日还是在反华？

六、如果热血，没洒对地方就会变成鸡血；如果奉旨，演过了头就会被千夫所指。

七、跳出棋盘的棋子，哪怕披着旗帜，最终也只是个弃子。

编者按：2012年9月，中日钓鱼岛争端。日本政府的"购岛"行为引起中国国内民众强烈反对，举行反日游行并抵制日货。部分不法分子趁机打砸抢烧日系车、店铺等。

我和官员的故事

看见好的捧个场，遇见坏的冷个场，碰见傻的笑个场，等他们自己给自己砸个场，也只能这样。

继有官员把微博当QQ以后，又有疑似公务员将微博当记事本，写了不少人民群众喜闻乐见又司空见惯的官场百态。究竟这是文艺作品还是乌龙日记，且不去妄断。

我在全国各地比赛，不可避免和一些地方官员有所接触，观感有好有坏。今天我吐槽一下这些年间和一些官员打交道的奇闻怪谈。关键时间地点都隐去，大家权当小说看也无妨。

一、2008年，某市的领导通过曲折的朋友关系找到我，问我能否帮助他们，区里要做一个文化名人的讲座，预算是×万元。我说，我不合适吧？该领导说，哦，你误会了，我们是想让你牵线联系一下余秋雨老师，你们都是作家，肯定认识。

二、200×年，在南国某地级市参加拉力赛，当地政府组织了欢迎宴席，我被组委会强行叫去参加。因为有点名气，所以被安排到了主桌上。我随便坐下，感觉眼前的饭桌大小不亚于足球场的中圈弧，正郁闷要是中间放一盆菜，得在桌上爬半天才能夹着，到时不知道要不要让领导先爬。边纳闷边环顾四周，发现一桌的官员都看着我，表情怪异，欲言又止。我们互相眈眈着，一个秘书模样的人面露尴尬，凑到我耳边，说，韩赛手同志，实在不好意思，你坐的是市长的位置。

三、市长入座后，和我寒暄了几句，突然放开嗓门道，听说你是一个作家，希望你帮我们S市大力宣传啊，我们的精神文明建设和城市建设在这几年发展都很快。桌上马上有人接话，对对对，尤其是市长就任以后。我说，你们的办公楼还有这家饭店建设得最气派，要不我写篇文章歌颂一下？话刚出口就觉得有点失礼，不料一桌人连声称好。

四、某地比赛期间，有一个赛前发布会，当地一个公务员接我去会议中心。我说，你们这里的树好漂亮啊。他自豪道，当然，这一棵可要价值……

五、2010年，参加一个演讲。请我去的官员比较开明，也喜欢艺术，人还不错，也邀请了另外几个我颇为欣赏的敢怒敢言的朋友。我上台说，今天我要演讲的内容是"城市，让生活更糟糕"……演讲完我打电话给正在看视频直播的朋友，问讲得怎么样。朋友说，就听到第一句，突然就插广告了，然后你就再没出来。不过说句公道话，上海这个城市，除了生活压力大、文化管制紧以外，治安、环境等其他方面在中国都算不错。

六、在北国某县比赛，被车队安排和当地一些官员吃饭。听到隔壁桌在敬酒，被敬的车队朋友推说一会儿还要开车，万一被查到酒后驾车就不好了。官员说，不怕，绝对没问题，敬你的就是交警总队的。你吃好以后我们组织一个桑拿，赛前放松一下。客气什么，来，我让我们治安总队的队长安排一下，他知道哪里好。

七、G县的领导秘书通过博客上留的邮箱地址联系我，称县领导同时是一个企业家，他愿出一个高价，让我帮他写一本传记，讲述他光辉的政绩。

八、西南某地级市的一个领导通过赛车圈的体育记者找到我，要我为他写一本书，同样诉说他的经历和精神文明建设的心得，条件是版税一人一半。

九、朋友Z做文化产业，曾经去申请一个文化扶持基金，问我要了一本签名书送给负责审批的人。后来他落选了。我看过他的计划书，写得很好，百思不得其解。后来另一个朋友告诉我，你们两个傻逼，真的只给了一本书么？里面什么都没夹？

十、某朋友的父亲，在某镇做镇长。他办公室的电脑默认首页就是他们的政府官网，官网下面有一堆链接，都是各个职能部门的网站，诸如经委、科委、民政局等。他就在这些历久弥不更新的官网之间遨游了好几个月，还颇有心得地认为互联网对官员的影响没有外界传说的那么可怕。直到有一天经人指点，他终于找到了门户网站……所以我看见有官员把微博当QQ的时候并不惊奇。

十一、我曾经看到一篇新闻，讲某市的市长被狗咬了一口，遂下令要捕杀全市的狗。作为爱狗人士，我觉得荒唐悲愤，顺手转载在博客上。过了两年，突然接到一个电话，来自不知哪的公安系统，要求我删除某年某月某日的一篇文章。我问是哪篇文章，他们义正词严、字正腔圆地说道，就是那篇《×××同志被狗咬了》。我问，是因为这位被狗咬的市长升官了么？那边默不作声。我说，删倒是无所谓，就是你们出警实在太慢了。

暂时想到这些，写的时候还担心会不会不太厚道。但转念一想，铁打的官场流水的官，都是几年前的事情，那些官员们早就不知道去哪了。升了降了，还是像朝鲜火箭一样栽了，谁知道呢？那是人家的游戏，他们也有自己的生存法则，有的惊心动魄、波澜壮阔，有的失魂落魄、一错再错。

　　至于我们，看见好的捧个场，遇见坏的冷个场，碰见傻的笑个场，等他们自己给自己砸个场，也只能这样。

来，带你在长安街上调个头

很多人恨特权，因为特权没有在自己手中。

十年前，我在北京租了一辆夏利开，人虽不面，无奈车慢，所以很知趣地开在机场高速的慢行道上。

车里坐着朋友，我俩当时都是愤青，正激烈批判着腐败和权贵，突然后面一辆奥迪贴近晃灯，并用警报呼哧了一下。我一看旁边车道是空的，也没让，继续自顾自开着。没过十秒，那台奥迪突然满血，全身能闪的地方都闪了起来。随即，我被后车用扩音器劈头盖脸骂了一顿。坐在边上的朋友抢了一把方向盘，说，咱让让吧。奥迪很快从我边上超了过去，骂声一直缭绕了好几百米。我对朋友说，妈的，这帮孙子走路像螃蟹，必须横着走到底；开车像火车，必须一条道开到黑。朋友说，算了，你看人家的牌照，京AG6X打头，这个很厉害，一般来说是给×××的，还有那些京A8开头的，以后你得看着点，都是给×××的。

作为一个只知道沪A牌照100位以内惹不起的上海司机，我听得云里雾里。最后朋友对着远去的只会开直线的奥迪牌火车，恶狠狠地撂下一句，操，以后宽裕了，还是得买黑色奥迪。

后来朋友真买了黑色奥迪，却一直没有上牌。我问，这不挂牌照没问题么？朋友说，没事，我有这个。他指了指前窗下的一块铁皮，上面写了两个字：警备。随着时间的推移，他又增添了"京安"、"人民大会堂×××"、"政协×××"，一直码到了副驾驶位，堵车的时候都能用来打牌比大小了。我非常担心牌子越来越多会挡住他的视线。好在朋友喜欢激烈驾驶，每次一劈弯，那些牌子就因为惯性，全摞成一堆了。于是朋友就得停车重新洗牌。我问他，这在路上开管用么？朋友说，太管用了，你看我，没牌照，但装了警灯警报，有这么多证，更加神秘，警察绝对不敢拦，谁知道你什么来路的。来，我给你违规调个头看看。

当时我们正开在长安街上，长安街很难调头。记得我初到北京时，有次开车错过了一个路口，一直不能调头，突然看见一个大门，门口还算宽敞，定睛一看，新华门，以为是新华书店系统的，想好歹和自己的职业沾点边，就直接往里扎，打算在门口揉几把，假装自己是出门左拐……在差点被击毙之后，我对长安街产生了深深的恐惧。我对朋友说，算了，别试验了。

朋友不语，遇见一个红灯，他爆闪一开，直接顶到交警跟前。交警假装没看见，转身给了我们一个屁股。我说，他真不管你哎。朋友嘴角一撇，道，丫不上路，按照常规情况，丫应该把直行的车流给我拦断了，方便我掉头。

过往的车没有一辆避让我们。朋友拉了一声警笛，交警回头看了我们一眼，准确地说是看了那些牌子一眼，无奈拦停了对面开来的车。朋友从容地调了个头。我承认，对于刚刚二十岁的我，在那一刹，特权为我带来了虚荣和愉悦，纵然这特权还是山寨的。有那么十秒钟我异常膨胀，觉得自己都快从车窗里溢出来了。但很快我发现，那些停在对面车道里等候的车辆看我们的眼神中并无景仰，甚至充满愤慨。我不由自主地往下缩了缩。

朋友不屑道，没事，别理那帮傻逼，你看到那捷达了没？你看丫挂的那个警备牌，我一看颜色就知道是假的，四元桥汽配城买的。我这块可是那×××的关系。但说是警备牌以后不能用了，统一只能挂京安了。那我——前面那傻逼怎么开那么慢，来，你呼几句，拿着这个，按边上说话就行，不用多说，十个字，前面车靠边，前面车靠边，丫就乖乖闪了……

到今天，我已经不能描述当年坐在那辆奥迪里的复杂心情了。午夜的平安大道，我们坐在路边吃羊蝎子。空无一人的街道上，依然有车拉着莫名的警报呼啸而过。朋友说，丫那个分贝数不对，也是四元桥汽配城买的。

是的，面对特权，我们厌恶，但享用到一点假特权，心中又窃喜；面对吃特供的人，我们批判，但自己用到了那些特供，又会得意。很多人恨特权，因为特权没有在自己手中。我有朋友觉得如果他掌权，必然从善如流。其实未必这样。我相信没有人会不沉迷其中，除非他的特权大到无需彰显，只用来表演一些低调的姿态。朋友的人生也有起落，现在他早就不开那辆奥迪了，换成了一台很普通的七人座家用车。说起从前，他摇头笑道，太虚妄了，以前老骂那帮家伙，自己居然也在模仿他们。但他又会觉得，黑色新款的奥迪A8很不错。

人总是很矛盾，纵然我以后再也不好意思坐进各种真真假假的特权车里耀武扬威，但每次要误机时，我心中最阴暗的部分也会冒出一个想法：如果我有急事要办，而要去的地方一天只有一个航班，我明显赶不上了，恰好我又有特权，我会让这架飞机连同几百个乘客等我半个小时么？抛去一切伪善，我觉得答案八成是：我会的，而且会让机长把责任推卸到航空管制上。

没有人能控制自己不会凌驾在他人和法律之上，哪怕他再好再温厚。体制赋予特殊个体的特权是无法靠自我修行来美化和消解的。就算你知道，那些没有特权的人正在对你唾骂和鄙视，不存丝毫的敬意，你也无法停止享用这些。

苏联的特供体系一度幻想能够延伸到工人，以为这样可以巩固政权，但是它没等到那一天。就算那天来临，苏联依然不会有好下场。当特权想惠及更多人时，只不过是特权阶级感到威胁以后的自保罢了。承诺他人能得到什么，最终他人可能什么都得不到，只有限制那些承诺者自己的权力，他人才能得到他们本该得到的一切。

　　写这些没什么意义，纯粹是想起以前在北京的日子，又看到眼前新闻，乱涂几笔。我们的社会进步或者退步，常常只是特权与特权之间的争斗结果。人有善恶，权无美丑，所以去向何方，全凭运气。多少个权倾一方的人说倒就倒。这次倒一个，也许国家向前走了，那万一下次倒错一个呢？如果一个地方充满着不被限制的权力，那么谁都不会安全，包括掌权者自己。

暴雨行车指南

地表上的光鲜，地底下的不堪，正是我们周围很多东西的缩影。

看见自己曾经生活过三年的北京暴雨成灾，很多受灾的地方都是那么熟悉，心中着急却无能为力。多年比赛，有一些关于驾驶和道路的经验，希望可以帮到一些朋友。

一、开车涉水，如果水深接近或者略微超过排气管，可以顶着油低挡位通过。若水位高过车辆的进气部分，就不要尝试了。如果车在水中熄火，不要尝试再发动汽车。一旦发动，引擎很容易受损。发动机的维修或更换非常昂贵。保险公司一般对这种情况不会赔偿。另，未来一段时间内，北京甚至全国的朋友如要购买二手车，一定要仔细检查该车是否曾经泡水。

二、在充满积水的道路上行驶，很容易发生水滑效应。当驶过一大摊积水时，轮胎会暂时失去抓地力，方向盘会被猛地拽向有积水的一侧，容易导致失控，撞到路沿或者护栏。发生这样的情况，抓住方向盘，尽量保持中间位置，可以稍向反方向打一点点。千万不要因为惊吓大幅转向和重踩刹车，稳住油门，等待汽车恢复抓地力。

三、如果车辆在行驶过程中彻底落水，则要尽量在第一时间开窗逃出。开窗是最重要的，千万不能因为害怕水灌进来而关窗。车门在水中是几乎不可能打开的。保持镇定。无论窗户的状态怎样，车一定会进水，在车内空间被水完全充满以后，才有可能再次推开车门。这是最后的逃生机会。

四、如果汽车发生甩尾，驾驶者又没有一定的救车经验，只要失控的速度和幅度不是灾难性的，最好的办法就是松开双手，抬起双脚，不要踩刹车，不要踩油门，不要踩离合器，不要碰方向盘，不要碰换挡杆。记住不要碰任何地方。车辆在大部分情况下会自己恢复轨迹，在车辆恢复正常轨迹的瞬间，你迅速抓住方向盘即可。听着有点神奇，但的确是这样。

五、北京地面环线的设计是不太合理的，硬生生割断了很多普通道路，交通效率又不高，下雨易淹水，下雪难爬坡。除此以外，北京的城市建设还有诸多让人无语之处。这场暴雨，换作其他国外大城市也许未必安然无恙，但我想不至于像北京那样付出惨重代价。

地表上的光鲜，地底下的不堪，正是我们周围很多东西的缩影。为死难者默哀，为救助者喝彩。无意说什么煽情或者抨击的话，曾在打不到车的时候恨北京，但更多的是为生活在那里的人们感动和揪心。城市里看得见的地方重要，看不见的地方更重要。城市让生活更美好，也能让生活更糟糕。在北京生活的人们为这个城市在建设中的失误承担了太多。

祝福北京。

编者按：2012年7月21日，北京遭遇特大暴雨。一天内，市气象台连发五个预警，暴雨级别最高上升到橙色。全市平均降雨量164毫米。北京房山区遭受山洪袭击，成为重灾区，暴雨造成多人遇难。

"文艺"没问题，"复兴"有问题

思想，别谈那么远吧。

你怎么理解"文艺复兴"？

我最早办的杂志《独唱团》，取的名字就叫"文艺复兴"，但当时这名字没被批下来，说带"文艺"俩字的都不批新杂志了。我听信了，当时就取了第二备选名字《独唱团》。结果没过多久，好多带"文艺"俩字的杂志就出来了，如《文艺风赏》啊什么的。后来我才弄明白，"文艺复兴"这四个字里，"文艺"没问题，"复兴"有问题。

"文艺复兴"这个词语更多的是指意大利的文艺复兴，但我觉得对中国人来说，心中的那段文艺复兴的情节，可能特指的就是1930年代，那时仿佛有过一阵子文艺复兴的意味——有一些启蒙运动，一些好的文学冒尖，此后是一个低谷。现在因为互联网，文艺发展又比以前稍微好一些了，但是离"复兴"、"茂盛"还差很远。

在现有体制下，中国有可能实现文艺复兴吗？

体制是可以被人心架空的。

文艺能不能复兴，其实也是人心的问题。如果人心没有复兴的话，那再多的基金、再多的口号，都没有用。有的时候，很多事情——我个人比较悲观——过了就是过了，比如交笔友的那个年代，手抄本的那个年代，摇滚起来的那个年代，香港电影的黄金年代，它过了就不再来。

你相信现在的人心吗？

现在的人心其实相信的是情绪。人们都是跟着情绪走的，无所谓谁对谁错，只在于看哪个顺眼，听哪个顺耳。

你有些悲观。

对，还是那句话，过去的就过去了。

但是，总要力所能及地做一些事情。现在的文艺很难像以前那么兴旺，因为它的载体发生了变化。当时我办杂志，就希望有一个地方，能够让更多的年轻人在文艺方面受到重视。大家都想要出名，但如果没有一个很合适的、好的载体让他们出名的话，他们就很容易去走哗众取宠的道路，人们也不会想看我们这样正儿八经的访谈。

微博时代是否会乐观些？

如果把文艺复兴理解成小的概念，从纯粹的文艺角度讲，那它无所谓难或者容易。如果理解得大一点，理解成"人的觉醒"的话，就会存在一个问题——重复启蒙。在互联网时代，你看着很多事情散布得很快，但其实挺难的，因为我发现受众其实是同一批。

如果这批被启蒙的受众是两百万，那么启蒙就一直在这两百万人中进行，很难打破壁垒，走向那些喜欢曾轶可的人，喜欢李宇春的人，喜欢看美剧的人……文艺复兴或者说个人觉醒，只是成了一个美剧的剧种，就像你们这批人是喜欢看《绝望主妇》的，而我们这批人是喜欢看《文艺复兴》的，就会变成这样，而每个壁垒都很高。微博相对自由，但在微博上，随着知识分子的话说得越来越多，加上自身的内斗，他们的公信力会下降得很快。

知识分子的公信力为什么会下降？

我觉得很多原因要从知识分子身上去找：一没共识，二没合力。这就像我们去加油一样，大家要去往同样一个地方，都在同一辆大巴上，我说咱们先省点钱，加93号吧；有人觉得我们要走快点，加97号吧；还有更极端的，说这车得加98号，跑得最快，直达目的地。结果想去同一个目的地的三伙人自己先吵起来了，把加油站炸了，然后旁边一群人就笑这帮傻逼。现在很容易会面临这样的问题。

看起来微博能改变很多东西，但事实上，这很艰难。在传统媒体时代，你发现很多报纸真的改变了一些东西，改变了一些制度、一些走向，甚至改变了很多官员的命运。但是在微博时代，大家的注意力转移得太快了，有些特别重大的公共话题也只能延续一天甚至半天。在形成合力的过程中，随便哪个傻逼出来喊一嗓子，注意力就会被分散。

有什么途径可以打破你所说的壁垒吗？

其实挺难的，唯一的途径就是从最早的基础教育入手。教育是最坚固的一个壁垒。

比如说一个班有五十多人，面对同一个问题，最后的结果可能是二十五个人无所谓，二十个人人云亦云，最终只有四五个人有一些自我觉醒。有很多我们所了解的人，会觉得某某如何，觉得他做了多少坏事，大家有多么不喜欢他，但是当你去参加同学会，一打听，发现周围只有你一个是这样认为的。所以我觉得很多时候要从最早的教育开始突破。

我想给自己的小孩编教材，自己出版。包括我朋友的一些出版计划，我都希望能有一些新的课外教材，但在审批上根本就不可能。

在你心目中，中国最近的文艺繁荣时代是在什么时候？

"五四"，还有20世纪80年代，前者有自由，后者有热情。

比起同样制度下的苏联文学，不得不承认，我们的作家都挺虚弱的。你认为造成这种状况的原因是什么？

主要是不同的民族性格使然。中国人有时候不认可自己人也是一个原因，就算一个中国人和一个老外干了一样的事情，也会下意识地觉得自己人不行。"宁赠友邦不给家奴"的思想扩展开来，也会造成我们自己的相轻。许多原因加在一起，时代的、性格的、语言的、民族的，总之就是倒霉悲催地加在一块，就成了现在的样子。

除了外在的环境，中国作家、艺术家自身还欠缺什么？和当代外国文学相比，你觉得中国当代文学的差距有多大？

不缺什么，缺读者，缺高的稿酬，缺社会保障。我们的社会变迁历程和文字都太特别，我不是特别建议用我们的当代文学去对比外国文学。

就你接触过的中国作家来看，你最看不惯他们的哪些毛病？

文人相轻。我在早期也有这样的倾向，看不惯其他作家，觉得写得差。自己再放几句没有根据的狠话，觉得很不错。但相轻来相轻去，很容易变成互相诋毁。有人觉得中国作家圈子意识很重，但这无可厚非，人有自己的交友自由。

思想在文艺复兴中起到的作用有多大？目前，中国要实现文艺复兴，更需要的是思想还是勇气？

没有什么文艺复兴了。这个时代东西太多了，就算文艺复兴到来，新的工业革命再来，我们也不会在这个时代的当时就觉察到。思想，别谈那么远吧。

所谓的青年作家，目前主要就是70后、80后、90后，但比起50后、60后作家来说，这几代作家都显得成熟很晚，还远没有创作出足以和后者抗衡的当代经典作品。这是为什么？

无可否认，50后、60后的作家写出了很多优秀作品，但人们总是习惯于不认可当下，追溯过往。等到三十年后，一样会有人问，现在的20后、30后很畅销，很受关注，但比起上一批的80后、90后，还没有创作出可以抗衡……

有学者认为，历史在中国80后文学中是缺席的。对此，你怎么看？

据我所知，很多年轻作家有不少对历史的描述。某些学者所谓的年轻作家作品中的历史缺席，其实说到底就是年轻作家没有把作品背景放到"文革"、"大跃进"、"反右"、"上山下乡"等他们所经历的特殊时期。说真的，我虽然对那段历史略知一二，但要我把小说或者散文的背景直接放到一个我没有经历过，但在人类文明史上又极其特殊的年代里，我没有那个勇气和信心，况且见证者大多都在世，年轻作家写起来很容易闹笑话。

那个时代，没有经历过的人相信很难体会。很明显，就算年轻作家写了，某些学者也会跳出来冷嘲热讽地说，小作家还是要活在当下，写自己的生活、自己的年代，把背景放到父辈的特殊经历中是不可取的，因为你们写得漏洞百出，你看，那年代里，××根本就不是这样的……

新世纪以来，80后文学一直被贴着"青春文学"的市场标签，80后更优秀的严肃文学创作被遮蔽了。

文学就是文学，青春文学、严肃文学，甚至穿越、宫斗、科幻，都是文学的一部分。不存在所谓更优秀的严肃文学创作。文学只有好的、坏的，好看的、难看的。当然，这个好坏的评判标准因人而异。

编者按：本文根据2012年11月《南都周刊》专访整理。

答台湾记者问

不是每件事都能给人生带来什么，人生的时光，总需要去度过。我选择这样度过。

媒体都说你是80后的代表人物，但是我们发现，中国的80后其实是很郁闷痛苦的一族，难道你也有很痛苦的一面没被大家看见？我们该怎样看这件事情？

我时而痛苦这件事情，你们不需要了解，我只要冷暖自知就可以。世界上最成功最幸福的人，其实都有痛苦的一面，只是没有被大家发现而已。

你说你只代表自己，但你也帮企业做代言，也很顺手。你在这中间怎么调适？

这就是纠结之一，因为杂志每年的办公成本两百万元人民币，稿费五百万元人民币，但因为各种问题一直没有办法顺利出刊，凭借我赛车和写书赚的钱是不够投入的。于是我选择了一些个人比较认可的品牌做了一些商业活动。我和你一样，我也需要钱，在我需要钱的时候，我选择了商业合作。事实上，有不少向杂志要求投广告和发软文的，包括希望我在博客里写软文的，价格都非常高，我回答你这个问题的字数已经足够买一台法拉利了，但我没有让文字出台，而是让我自己出台了。我想，无论以后资金紧张不紧张，谁都不能避免商业合作，我会尽量让自己舒服。

当代言人、赛车、写作、做传媒人，这些事情对你的意义各代表什么？可以为你的人生带来什么？

不是每件事都能给人生带来什么，人生的时光，总需要去度过。我选择这样度过。

你有没有幻想过，自己三年或是五年后，可能去搞些什么事情？最天马行空的想象是什么？什么时候，你会不玩赛车了？

我很少想那么久远，你问我下周的比赛在哪里，我经常都不知道。在做事情的时候，我希望看得远一些；但在过日子的时候，我希望看得近一些。

你问我什么时候不会去比赛，那就是我不能赢得比赛的时候。2007年我是场地赛的总冠军，2008年我是拉力赛的总冠军，2009年我是拉力赛的总冠军，2010年我在场地赛的积分排在第一。当我不能赢了，我自然就离开了。这和泡妞一样，两情相悦时，何必想分开；你觉得一方感觉不对了，再走也不迟。

可不可以告诉台湾读者，你到底是个怎样的人？人家怎样形容你的时候，你最爽；怎样形容的时候，最不爽？

人家不需要形容我的时候，我很爽；人家硬要形容我的时候，我最不爽。

面对中国群众这么高的期望，媒体这么大的关注，你怎么能这么自在，做自己想做的事情，说想说的话？

除了我喜欢的姑娘和家人，视一切为无物就可以了。

大家赞美你时，你怎么想？贬低你时，你怎么疏解？台湾的陈文茜跟李敖对你的重炮抨击，你不予回应，这代表什么意思？

我很少对贬低疏解。

以前我经常在博客上打笔仗，后来我给自己制定了一个规则，七十岁以上老人、二十岁以下小孩与全年龄段的女人，一概不动手。李敖、陈文茜、李敖的儿子正好卡在这三个原则之中，所以我选择不说话。

有个内地的出版人说你无欲则刚，你怎么想？

对于男人来说，有欲才刚，无欲则软。谁都有欲望，无欲望就不会出版什么书、回答什么问题了。只是我的欲望可能未必那么直接。

能协助你获得自由最重要的工具，你觉得是书籍、网络还是钱？

是打开家门的钥匙。

你觉得自己从网络上获得了什么？

获得了大量的信息、知识、乐趣。当然，还有松岛枫、小泽玛利亚的A片。但我是一个支持正版的人，去日本的时候特地买了几张作为支持。

在这个凝固的社会里，80后的年轻人中，有人选择另辟蹊径，有人愤怒，有人则变成《新周刊》眼中的橡皮人：无痛，无感，无效率。你会不会担心，这群纠结的年轻人，会把中国带往何处？

我相信，这一代的年轻人会把中国带往一个好的地方，因为信息的开放、相对自由的话语系统和曾经面对的压力以及不公，都将让他们改善这个社会。

平心而论，你觉得，现在的80后，在中国有好好做自己的能力跟条件吗？因为很多人都必须赶在二十五岁买房子，否则就得接受娶不到老婆的命运。

有，如果他们愿意把房子的首付拿出来创业，哪怕失败了。着急娶老婆没有什么问题，但是着急买房子为了娶老婆的都是白痴。边创业边嫖娼甚至边手淫的人都比他们伟大。

如果有年轻人问你，如何可以做到跟你一样自由地去追逐梦想，你会怎么回答？

能这么问的人都没有决心去自由追逐梦想，有决心的人基本都不问别人。

编者按：本文根据中国台湾《商业周刊》第1197期采访整理。

答香港读者问

这是一个什么都可以说的地方，所以我就没什么可说的。

作为年轻人的代表，你对你的同龄人是否有什么建议？

没有什么建议。因为每个人的情况事实上都不一样，我觉得还是自己来吧。

你跟今天中国比较优秀的知识分子有过接触，比如陈丹青、梁文道等，他们对你的观念是否产生过影响？如果有，是什么？

其实我很小的时候就看挺多书，他们的书我也看过不少。陈丹青跟梁文道都是现在相对来说写得比较好的作家，我个人非常喜欢他们。

你如何处理恐惧？

我就"啊"一声（大叫出来），就这样处理恐惧。

现在你出书，赛车，看似很成功，会不会出现后劲不足的问题？比如说你的学历，你没读过大学，你的知识储备少了。

这个问题问得很好，自从出了唐骏的事情以后大家都特别关心学历问题。很多名人都纷纷修改了自己的学历。然后我也顺应这个趋势，修改了自己的学历。因为以前在自己的学历那一栏我填的是高中，后来发现其实我高中文凭没拿到，我应该是初中。所以我就把学历修改成初中了。谢谢唐骏。

你对香港有什么看法？

其实我个人对香港是挺喜欢的，而且很早的时候就在内地的电视上接触到香港。香港很多艺人到内地回答问题的时候永远都是"呃，关于这一个问题……"。很多人说香港是一个没有文化的城市，可能是觉得香港人不大喜欢读书，或者说读很多的八卦。事实上所有的一切都是文化，八卦也有八卦的文化，电影有电影的文化。一个出过那么多好电影的城市，一定不是一个没有文化的城市，而且它对文化那么地宽容。我要谢谢这座城市。

你对少女嫩模出版的写真集在香港书展十分集中有何看法？

其实我很想拿一本来看一看。就像现代诗一样，在最初的时候我批评过现代诗，觉得现代诗一无是处，虽然有很好的现代诗人，但我总体而言不是特别喜欢这种形式，总觉得现代诗就是诗歌的歌词分支，而且写起来太简单了。后来我发现我错了，因为一来有很多很好的现代诗，它们对推进中国很多东西有着非常大的帮助；二来，其实不能够排斥任何文化形式。我们中国出了这么多问题，就是因为我们永远是带着排他性在做事情。所以我相信文化不应该排他，虽然嫩模的写真集可能让人觉得心里不舒服，但事实上它们都应该存在，而我会去买一本看看。

你写文章的时候有什么样的理念？

在写杂文的时候肯定有着必胜的理念，在写小说的时候，我其实挺自卑。我之前从来不称自己是一个作家，我总是称自己是一个作者。我看得更多的是五四时期的文章。那时候的文章真的很好，无论是情怀还是文笔。我从胡适、梁实秋和林语堂那些人的文章中获益匪浅，我也推荐大家多看看那个时代的人写的文章。后来我们思想跟政治都正确了以后，文章就写得越来越烂了，都忽略了文字本身的优美。

为什么在什么都能说的地方就没有什么话好说？

我觉得我还是说得挺多的。它事实上就像男性的一种欲望，半推半就的时候你更想上人家，人家如果真的一扭头说"来吧"，你可能就没有那么冲动了。但事还是要办的。

除了写政治以外，还写什么？

事实上我都没有写过什么政治，也很少涉及政治。我很讨厌政治，但我很热爱文艺。只是我更不喜欢我所热爱的文艺被我所讨厌的政治所妨碍。

你觉得你有可能从政吗？如果要从政，你首先要做什么？

欲从政，先自宫。但是我还想留下来。可能现阶段从政是很乏味的，而且我始终不能接受和很多不解风情的人在一起，我完全不能够忍受在台上说着那些排比句。所以其实我更乐意做一个作者，做一个车手，或者会去从事一些别的行业，而不是特别希望在精神文明建设方面有一些卓越的贡献。

作为一个赛车手，你如何保持写作的灵感与热情？

灵感无须保持。

还是欢迎大家到内地去走一走看一看，可以提供给你很多灵感。对于写东西，很多次我都觉得挺乏味的。其实很多时候并没有那么想写，但还是会被迫写一两篇文章。但我很荣幸我拥有这样的读者，他们并不是低级、盲目的，写什么都说好。当我写这样的文章的时候，他们会非常敏锐地在留言里告诉我说"你这个有一点无病呻吟了，有一点明显不想写硬憋出来的感觉"。

看过你接受BBC的采访，是如何做到不踩线的呢？

其实是这样，我特别讨厌有人写东西的时候说"每个人心中都有一个……"，这句话特别扯淡。但事实上对于每个写作者来说的确是"每个人心中都有一根线"。可能我的线相对来说比较宽泛一些。

我相信所有写东西的人都有着几乎一样的追求，包括所有的媒体人。因为我经常觉得在一个国家里宪法应该是它最后的底线，但事实上宪法有的时候会变成"沦陷"的"陷"，所以在那个时候，我相信媒体是唯一的底线。

在内地，大家可能觉得，这一方面的媒体一定很进步，那一方面的媒体一定非常落后，事实上不是。事实上年轻人都是差不多的，而且我相信任何的媒体从业人员都是有他的新闻理想、媒体追求的。而且未来这根线一定会越来越远，最终会彻底消失，因为所有的线都有可以承载的分量，如果它太重了，就一定会崩溃。

和你同时出道的人中很多都移民了，你会离开中国吗？

我不会。可能这个答案很多人不大愿意听到，如果我说"我会"就好了。我还真是不会，因为我喜欢的人都在中国，我不喜欢洋妞。我会一直留在中国，如果她欢迎我我会很开心，我相信她不会驱逐我。无论如何，她始终是我的故土。这种感受很奇怪，去国外比赛的时候，虽然你可以感觉得到它们的确很好，无论是社会制度还是人与人之间的相处，都在一个非常高的水平上，但更多的，你只是希望，如果将来我们的国家也是这样该多好，而不是想要住到别人的国家里。我还是更希望别的国家的人想移民到我们国家，但我不建议他们现阶段来。

你为什么要写作？

我从小就很喜欢这个职业。当时想当记者，觉得记者可以做很多嫉恶如仇的事情，可以把很多不好的地方曝光出来。后来发现当记者不行，因为记者上面原来还有主编，但是当你发现你有一个很好的主编的时候还是不行，主编上面还有相关部门。后来我觉得可能当一个作家比较自由一些，所以我开始写东西。

你如何看待张爱玲的小说？

她是为数不多的有质感和才华的女作家。我虽然没有完整地看过她的小说，但是我看到过很多短的文字，我个人还是比较喜欢的，因为很多东西你从短的文字中就可以看得出来，她很适合做这份工作，很多人其实很不适合。

从《三重门》到如今的作品，很多人在关注你的成长，请问在这样的关注下，从少年到青年，你是如何守住自己并提升自己的？

其实我没有守住自己，尤其是在很多女孩子面前。但是提升自己其实很简单，还是多看看书，多接触各种各样的资讯，包括这次的香港书展，都是很好的平台。多阅读吧，无论是从网络上还是从纸媒上。

你对一些想做作家的青年人有什么建议？

这是一个非常好的行业，它可以让你待在家里，或者随便你自己到处乱走，而且如果你成为畅销书作家的话还有很多版税。虽然不至于发财，但很开心。无论作家还是别的行业，首先你要确定自己是真的适合这个行业，而不仅仅是热爱。因为如果发现你热爱这个行业但是你并不适合它，其实是一种更大的痛苦。

最后一个问题，你觉得现在的生活是你想要的吗？

用这个问题来结尾，很好。Yes, I do.

编者按：本文根据韩寒2010年香港书展读者见面会问答整理。

答亭林镇青年问

我迟早会回去，找一个河边的房子。虽然大家都走了。

你平时还回不回亭林?

只要没有比赛，几乎每周都要回去。

你回来后最喜欢吃什么?

原来小学附近的面馆。

上小学那会儿，手头紧的时候吃雪菜面，发了零花钱就吃大排面。前者太素，后者太腻，一直幻想以后有钱了能去吃一碗雪菜大排面。还有一个叫"汉堡小子"的西餐店，是亭林镇潮男潮女的聚会圣地，我常去那里吃薯条，接受西方文化的洗礼。

你还和小时候伙伴一起玩么?

我现在身边大部分朋友都是十年前认识的，很多甚至是发小。

我其实不是镇上人，是在下面的村里长大的。我了解有些在农村长大但后来出息了的人比较回避见到童年的朋友或者老家的来访者，但我似乎只有在他们面前才能更放松。我常在老家附近玩，毫无顾忌，甚至还在离家稍远处和发小一起随地小便。有些人的努力是为了摆脱自己原来的出身和环境，有些人的努力是为了证明无论出身和环境自己都可以，这都无可厚非。

你小说里写到的亭林有没有虚构？

基本属实，我还给亭林镇写了一首镇歌。我觉得写得很好，就差人谱曲了。当然，亭林镇政府估计不会喜欢。

那镇领导们应该很喜欢你吧？

这……这么说吧，我常写亭林镇空气质量差。我一个朋友告诉我，除了有些职能部门真的打算在未来慢慢治理以外（当然，这和我怎么说没有关系，我没这么大能量，是因为空气的确太差了），还有某些人开会制定了应对措施，这些措施中甚至包括联合一些专职黑我的人再次对我进行诽谤和攻击。当然，最后这些没有实施，因为他们发现所谓黑，都是无需组织的，我如果说饭能吃屎不能吃，他们都能捧着马桶干杯。于是就有了一些从没来过金山区的人根据政府网页上搜索到的照片大肆赞美金山的生活环境，并指责我胡说。我只想说一句话，这里的空气、这里的河水、这里的生活环境，生活在这里的人最有资格发言。我在这里

30年，这里什么样我最清楚不过，这里的人民也最清楚，甚至很多上海市的市民也略知一二。也许我是为数不多的有名但是不太受家乡政府欢迎的人，但无所谓，我又不拿他们的津贴。

当然，金山区很大，有一些镇子受到化工的污染相对少一些，甚至一些偏远地方还有水乡美景。我就去过那个水乡。我有很浓的故乡情结，在我办杂志那会儿，还希望把工作室放到那里去。也有人说，如果我能请到余秋雨老师来就好了。

当然，也有一些领导应该不反感我。我在老家就常常受到领导的接见……村长就住我家隔壁。

怎么才能找到你？

这我就不说了，万一你看见我随地小便呢。

《他的国》里，雕塑园什么的在哪？

你打开谷歌地图，找到亭林镇，往南两公里，会发现一大片空地，还有一些神秘的线条。这就是雕塑园。

雕塑园曾计划要成为亚洲最大的雕塑主题公园，占地数百亩，经过艰苦的建设，终于烂尾。这个雕塑园的最大特色就是一尊雕塑都没有。

你以后会不会生活在亭林镇？

我一直想回去。等空气好一些。

我很心疼自己的爷爷奶奶在这样的空气里生活，但你知道，对于老人，这是他们生活七十多年的地方，就算空气再差，你也不能说"爷爷，我给你买了个房子，你们搬到其他空气好一点的区去吧"。对一辈子没搬过地方的老人来说，背井离乡的伤害会更大。但我不希望我的女儿在这样的空气里生活。

我迟早会回去，找一个河边的房子。虽然大家都走了。

我该怎么办？留在亭林镇打工，和那些外来务工薪水特别低的人竞争，还是去区里、市里找机会？

问你自己。

最后附上小说《他的国》中，我创作的亭林镇镇歌。

枫林/竹林/不如我们的亭林/树林/森林/不如我们的亭林/东海边的明珠/太平洋畔的水晶

亭林/你的腾飞让世界震惊/亭林/你的博大让文艺复兴

这里湖面总是澄清/这里空气充满宁静/雪白明月照在大地/照出一地的GDP

亭林/亭林/你的前途/一片光明片光明片光明光明光明明明明

三个发展/四个必须/五个有利于/时刻牢记在我们的心/

我们生是亭林镇的老百姓/死是亭林镇的小精灵

天下势

韩三篇

我相信这些迟早会到来，只是希望它早些到来。

一

很坦率地说，剧烈的变革在当今中国未必是好的选择。

首先，剧烈的变革需要有一个诉求，诉求一般总是以反腐败为开始。但这个诉求坚持不了多远。"自由"或者"公正"又是没有市场的，因为除了一些文艺和新闻从业者，你走上街去问大部分人，你自由么，他们普遍觉得自由。问他们需要公正么，他们普遍认为不公正的事情只要别发生在自己身上就可以了。不是每个人都经常遭受不公待遇，所以为他人寻求"公正"和"自由"不会引发人们的认同。在中国是很难找到这样一个集体诉求的。这不是需要不需要的问题，是可能不可能的问题。我的观点是不可能也不需要。但如果你问我中国需要更有力的改革么，我回答一定需要。

中国城市人口众多，而且各种千奇百怪的灾难都发生过，G点已经麻木，更别提爆点了。就算社会矛盾再激烈十倍，给你在十个城市演讲，最终这些演讲也是以被润喉糖企业冠名并登陆海淀剧院而告终。

让我们幻想一下：假设真的发生了剧烈的变革，到了中段，学生、社会精英、知识分子、农民、工人，肯定不能达成共识。而我们一直忽略了一个人群，那就是贫困人口，这个数目大概是两亿五千万。你平时都注意不到他们的存在，因为他们从来不使用互联网。既然这种变革能够发展到中段，必然已经诞生了新的领袖。而此类领袖，绝对不会是你现在能想象的那些温厚仁慈者。文艺青年们看好的领袖一个礼拜估计就全被踢出局了。而越是教育水平高的人，越不容易臣服于领袖，所以这些人肯定是最早从变革中离开的。

随着社会精英的离开，变革人群的构成一定会产生变化，无论剧烈变革的起始口号多么好听，到最后一定又会回到一个字——钱。说得好听一点就是把应该属于我们的钱还给我们，说难听一点就是掠夺式的均富。你们不要以为我觉得自己有点钱，所以我厌了，害怕失去。在剧烈变革的洪流里，你拥有一个苹果手机，你是开摩托车的，甚至你会上网，你平时买报纸，吃肯德基，都有可能成为剧烈变革的对象。有一亿家产的人比起有一万家产的人反而安全，因为他们打开家门，门口已经放的是《纽约时报》了。

最后倒霉的还是中产、准中产甚至准小康者。以前人们在各种政治运动中自相残杀，现在的人们往往只认钱，很多人已经被训练成只认钱的自相残杀者。所以你就想象吧。

任何变革都需要时间，中国那么大，不说天下大乱，稍微乱个五年十年，老百姓肯定会特别期盼出现一个强有力的领袖，可以整治社会秩序，收拾一下局面。

以上这些都是幻想，连幻想都不乐观，就别提操作了。所以说，在这样一个非此即彼、非黑即白、非对即错、非带路党即五毛党的社会里，剧烈变革说起来霸气，操作起来危害很大。

也许很多人认为，中国的当务之急就是一人一张选票选主席，其实这并不是中国最急迫的事。民主是一个复杂、艰难而必然的社会历程，并不是靠"普选"、"多党制"这些脱口而出的简单词汇可以轻易达成的。如果你对司法和出版从来都没有关心过，你关心普选有什么意义呢？无非就是说起来更拉风一点。这和那些一说起赛车只会提F1，一说起足球只知道世界杯的人有什么区别呢？

"革命"和"民主"是两个名词，这两个名词是完全不等同的，革命不保证就能带来民主。现今中国是世界上最不可能有剧烈变革的国家，同时也是世界上最急需改革的国家。如果你硬要问我，在中国什么时候是大变革的好时机，我只能说，当街上的人开车交会时都能关掉远光灯了，就能放心变革了。

但这样的国家，也不需要任何大变革了，国民素质和教育水平到了那个程度，一切便都是自然而然的事情。也许你能活着看见这个国家的伟大变革，也许你至死都是这个死结里缠绕的纤维，但无论如何，你要永远记得，错车时请关掉远光灯，也许我们的儿女将因此更早地获得我们的父辈所追求的一切。

　　你也不能用完美的民主、完美的自由、完美的人权字面上的解释来逃避中国的现实。改革和民主其实就是一个讨价还价的过程。我的观点很简单，我们都不愿意发生剧烈的变革，"巨大变化"不可能在近期的中国发生，"完美"民主不可能在中国出现。所以我们只能一点一点追求，否则在书房里空想，憋爆了自己也没有意思，改革是现在最好的出路。

二

　　民主不是适合不适合的问题，它迟早会到来。国民素质低并不妨碍民主的到来，但决定了它到来以后的质量，谁都不希望来个卢旺达式的民主，虽然这并不是真正广义的民主。它有时候缓缓来，有时候突然来。也许来得不那么彻底，来得不那么完整，来得不那么美式，来得不那么欧式，但在你的余生里，它一定会来，可能还来得有点平淡。

　　文化界很多人认为一切问题都是体制问题，仿佛改了体制一切都能迎刃而解。他们善良正义、嫉恶如仇，但要求农民、工人和他们拥有一样的认知，甚至要求全天下都必须这么思考问题，这完全不可能，事实往往让人寒心。

因为拉力赛都在偏远地方举行，我这些年去了上百个各种各样的县城，这些都不算特别封闭和贫瘠的地方。我和各种各样的人聊天，他们对民主和自由的追求普遍不如文化界所想象的那么迫切，他们对强权和腐败的痛恨更多源于"为什么不是我自己或者我的亲戚得到了这一切"，而不是想该如何去限制和监督，只有倒霉到自己头上需要上访的时候，他们才会从词典里捡起这些词汇来保护自己，只要政府给他们补足了钱，他们就满意了。一切能用钱解决的社会矛盾都不算什么矛盾。而知识界普遍把国民对这些词汇的这种应急应用当成了他们的普遍诉求，认为国民与文化界形成了共识。我不认为在分歧和割裂这么大的国家里能有一场剧烈的变革。

中国共产党到了今天，有了八千万党员，三亿亲属，它已经不能简单地被认为是一个党派或者阶层了。共产党的缺点很多时候其实就是人民的缺点。党组织庞大到了一定的程度，它就是人民本身，而人民就是体制本身。所以改变了人民，就是改变了一切。所以更要着眼改良。法治、教育、文化才是根基。

当然也有人说，一些发达国家，他们的人民其实就是表面素质高，深交下去，人性也都是这样的，所以好的制度才是高素质的保障。

这点我完全赞同。但我们说的就是表面素质，不要因为觉得人私底下是怎么样的而小看表面素质。民主的质量就是由国民的表面素质决定的。一个人开车可能关远光灯，对人彬彬有礼，遵守社会公德，但一交往，发现其实也自私懦弱狭隘贪婪……

这又如何呢？素质和人性放在一起谈没意思，美国人的人性和中国人的人性说到底当然大同小异，全世界人类的人性都差不多。

所以这里就有一个鸡和蛋的问题，是先有好素质，再有好制度；还是先有好制度，再有好素质。其实这个没有疑问，在能出现好制度的时候，无论素质好坏，都应该保障好制度，因为好制度恒久远，一个永流传，制度是实在的，素质是空幻的。问题是，当好制度由于种种原因迟迟不能到来的时候，咱不能天天期盼天上掉下来一个好制度。所以只能先从素质入手，这样一切才有开始的可能和动力。

好的制度和好的民主有两种到来方式：一种是有一个纪念日，一种是没有具体的日子，但要一两代人的努力。尽管改良又慢又费时，国民素质又不高，但我依然选择相信改良。剧烈的变革只能是督促改良的筹码，但不能也不可能真正操作起来。

三

文化人普遍将民主与自由联系在一起。其实对于国人，民主带来的结果往往是不自由。因为大部分国人眼中的自由，与出版、新闻、文艺、言论、选举、政治都没有关系，而是公共道德上的自由。比如说没有什么社会关系的人，能自由地喧哗，自由地过马路，自由地吐痰。稍微有点社会关系的人，可以自由地违章，自由地钻各种法律法规的漏洞，自由地胡作非为。

所以，好的民主必然带来社会进步，更加法治。这势必让大部分并不在乎文化自由的人们觉得有些不自由，就像很多中国人去了欧美发达国家觉得浑身不自在一样。民主和自由未必要联系在一起说，我认为中国人对自由有着自己独特的定义，而自由在中国最没有感染力。

每个人要的自由是不一样的，民主和法治，就是讨价还价的过程。圣诞再打折，东西还是不会白送。那我就先开始讨价还价了。

首先，作为一个文化人，我要求更自由地创作。顺便也替我的同行朋友——媒体人要更多的自由空间。还有我拍电影的朋友，你不能理解他们的痛苦。大家都像探雷一样进行文艺工作，走得又慢又歪。但是在我看来，时代已经不同，现代的资讯传播会让屏蔽形同虚设，而文化的过多限制却让中国始终难以出现有世界影响的文学和电影，使我们这些文化人抬不起头来。同时，中国也没有在世界上具有重大影响力的媒体——很多东西并不是钱可以买来的。文化繁荣其实是最省钱的，越开放必然越繁荣。如果两三年以后，情况一直没有改善，在每一届作协或者文联全国大会时，我都将亲临现场或门口，进行旁听和抗议。蚍蜉撼树，不足挂齿，力量渺小，仅能如此。当然，只我一人，没有同伴，也不煽动读者。我不会用他人的前途来美化我自己的履历。同样，我相信我们这一代人的品质，所以我相信这些迟早会到来，只是希望它早些到来。因为我觉得我还能写得更好，我不想等到老，所以请让我赶上。

以上是基于我的专业领域的个人诉求。

我觉得在这场让大家都获益良多的讨论里，研究应该是什么样，不如想想应该怎么办。据说一个人一次只能许一个愿，我的愿望用完了，其他的诸如公平、正义、司法、政改，一切一切，有需要的朋友可以再提。

愿没钱的能在一个公正的环境里变有钱，有钱的不再觉得低外国人一等。愿所有的年轻人都能不畏惧讨论改革和民主，关心国家的前途，视它为自己的手足。

政治不是肮脏的，政治不是无趣的，政治不是危险的。危险的、无趣的、肮脏的政治都不是真正的政治。中药、火药、丝绸、熊猫不能为我们赢得荣誉，县长太太买一百个路易威登也不能为民族赢得尊敬。

愿执政党阔步向前，可以名垂在不仅由自己编写的历史上。

就要做个臭公知

我还会因为依然能发表文章而且活得不错，常被怀疑成"五毛"和"倒钩"，乃是臭公知3.0版本。

"公知"两个字越来越臭，还株连了"知识分子"这个名词。

"公知"被污名化应该就是这两年的事情。记得以前，很多杂志还会评选年度公知，我也曾入选过。但不知何时开始，大家就开始用"公知"二字骂人了。明明双方都是公知，观点之争到一半，一方忽然大喊，你们是公知，另一方就不辩自败了，比"对方开着宝马扬长而去"还要有效。后来大家又聪明了，一上来先全部变成草根，但很快又发现草根和草根之间的争论就像屁民与屁民之间的互掐一样，两败俱伤且无人关心。很快，又冒出来一个词，叫"意见领袖"。但没过多久，网络上意见领袖又泛滥了。每次公众事件，看着意见领袖自动排成一个连，还不如去看易建联。终于，大杀器出现了，"公民"二字隆重登场，作为"公共知识分子"的平民化变种，这个词又安全又不容易被污名。但最近也有人说，什么公民，也是图"功名"，都是大尾巴狼。于是很多人都不知道这个群体应该叫什么了。

"公知"的臭掉和"公知"自己也有一定关系。知识分子的确有一堆臭毛病，有的迂腐，有的圆滑，有的好色，有的没谱，有的投机，有的唠叨，有的粗鲁，有的装逼，有的故作高深，有的哗众取宠，有的拉帮结派，有的爱作姿态，有的人品不端，有的言行不一，有的危言耸听，有的党同伐异。加上公知一直在发言，自身缺点也会被一再放大，所以最终开始惹人厌烦。不过回头想想，各行各业的各色人等不都是这样么？比如你老说演艺圈的男女关系实在太乱了，但回头一看自己的周围，可能也好不到哪去。

故事一定是这样发展的，一开始有公知和意见领袖大声说话，很多人觉得舒服，把自己的心声给说了出来。后来大家又觉得，怎么都是车轱辘话来回说。当然，这也不完全怨公知，主要责任在于政府老是车轱辘错来回犯。后来有人突然喊了一嗓子：公知得了名，赚了钱，自己其实也好不到哪去，他们原来是在消费政治，消费情绪。臭公知。

我身边就有朋友不喜欢看文人出身的公知在那里批判社会，他觉得表演居多，而且一直在NG，就是永远不关机。相比之下，他更爱看成功的商界人士说话，他关注了李开复、王冉、潘石屹等人，每天转发，觉得他们几个文笔不输那些文人，而且更了解现实社会中的可行性操作，语气也更令人舒服。最重要的是人家已经富裕了，无需表演。后来在一个饭桌上，另外一个朋友说道，不一定，人有了钱就要好名声，我觉得他们动机不纯，是另外一种消费，也是另外一种臭公知。我那朋友虽然争辩几句，但第二天微博只转了条冷笑话精选，好几天才缓过来。

我还有一个朋友喜欢姚晨，觉得演艺圈里关心现实的明星不多，而且她也常仗义执言。但也有朋友就不屑一顾，说这也许是一个策划好的路线，要和其他明星区分开来，说到底就是功利，也是臭公知的一个变种。

我还有一个朋友喜欢×××，觉得×××很厉害。结果也有朋友反驳说，×××也是在表演一种姿态，越被迫害，地位就越高，收入就越多。这境界比臭公知要高一点，但其实也是在消费政治，归根结底还是臭公知的2.0版本。

当然，也有说到我的。我初中写文章就喜欢批评这个、批判那个，当时没什么概念，纯粹是因为启蒙读物都是民国作家的，于是下意识觉得写文章就该批判。大家启蒙读物和性格都不一样，所以我特别能理解为什么总有一些人关心现实，另一些人关心星座，而他们都很好。虽然我第一本书就挺畅销，但真正获得浮名也是因为这几年写的杂文。我还会因为依然能发表文章而且活得不错，常被怀疑成"五毛"和"倒钩"，乃是臭公知3.0版本。

最终一轮听下来，我发现一种心态，只要不是当街被迫害死的，或者生活还算不赖的，就会有各种诛心揣测。激进一点，就成姿态；保守一点，便成"五毛"。总之就是消费政治，消费公共事件，而且一旦观点不同，两派公知就容易互挖老底，留给观众"原来全是王八蛋"的印象。加上群众的笔力也越来越强，"公知"终于从一个赞美的用词变成了一个搬弄是非的用词。

既然这样，我也终于明白了，不管我否定或者肯定，甚至给自己找另外一个独特的词汇替代，其实我就是一个臭公知。有人说，无所谓这样的一个群体叫什么名字，公知也好，知识分子也好，意见领袖也好，公民也好，你只要一个人发声就行了，名声是你的，管这些名词臭或者香呢。但我觉得不妥，就算一只闲云野鹤，你总不希望自顾自飞了半天，突然之间，你的种群被人污名了，人家指着你说，看，一只闲云野鸭。当然，这和这帮野鹤掐架的时候互相指责对方是野鸭也有很大关系，而且围观的野鸡、管事的野猪又对这种名称的变化喜闻乐见。"知识分子"和"公知"这两个词，在任何年代，都应该是褒义词，都该去珍惜。所以本文标题中的"臭公知"三字也是罪过。相反，"意见领袖"不算是个褒义词。带"领袖"二字的，最终都很可能走向铲除异己的方向，而"分子"只是物质组成的一种基本单位而已。

是的，我是个公知，我就是在消费政治，我就是在消费时事，我就是在消费热点，我是消费公权力的既得利益者。大家也自然可以消费我，甚至都不用给小费。当公权力和政治能被每个人安全消费的时候，岂不更好？大家都关心这个现世，都批判社会不公，毒胶囊出来的时候谴责，贪官进去的时候庆祝，哪怕是故作姿态，甚至骗粉骗妞骗赞美，那又如何？

最后，面对各种不同的不公，没人能够替代你，一切还是得你亲自出马。从有了互联网开始，随着每个人的参与，曾经说出大家心里话的著名公知们被不停抛弃是一个必然的过程，抛弃一些人的名字不代表必须抛弃一个向善的名词。

我有一个朋友前几天就食品安全写了一条公知范儿的微博，被转发了一千多次，他非常高兴，觉得那些公知也不过如此，他也可以。这就是社会变化的过程。但在这个过程里，不应该鼓动大家都唾弃公知，而是应该鼓励大家都成为公知。

这一代人（2012版）

我相信这一代人可以见证很多东西，我们今天所经历的一切，都是头皮屑。

我说过不光要杀戮权贵，还要杀戮人民，我唯独忘记了还需要杀戮的，就是自己。

杀戮是一个严重的词语，而且一般不用在个体身上。但是有的时候，"自己"并不只有一个。一个不杀戮自己的人是危险的，哪怕被逼无奈戮了自己一下，也要报复。

等到开学后，我将要去母校开始我的演讲，我想我已经找到了主题，那就是再有七个月，我便三十周岁了。我要告诉我的少年校友，在这一万多天里，我的各种错误和反思。因为我一直不相信成功学，所以我讨厌在机场书店的小电视屏幕里看人家演讲自己是怎么成功的。成功之道有很多未必能展开的东西，而且你也不能将自己的狗屎运赠送给受众，所以看着他人如何成功往往无助于自己的成功，但是听着他人如何失败也许能避免自己的失败。

翻看自己的博客，其实在2011年，我常常陷入一种苦闷之中，就是不知道该写什么好，因为我是一个不愿意重复的人，好在汉字足够多，否则我早就厌烦了。刚才我翻回到了2008年，那个年份就像在眼前，有雪灾、家乐福、地震、奥运会、三鹿。而在2008年2月5日，也就是四年前的今天，我写了一篇文章《这一代人》，很多人也许未必注意到。但其实是从这篇文章，我开始了自己真正的杂文旅程。

所以这个夜晚，我又想起这个题目。我出道的时候叛逆、反抗师长，离开上海，来到北京，就因为不知道听谁说过，搞文化就要去北京。那个时候的北京还没有五环，后海还没有酒吧，所有朋友都还在学校，成年人又都在使用ICQ和QICQ。我举目无友，孤独得像只马桶搋子，打开电脑又写不出一个字，因为我的生活积累用完了。

四年后，我唯独学会了怎么把车开好。回到上海，找到高中时候追求的姑娘。不多久，我的同学们都大学毕业了，我们又分手了。曾经有朋友问我，为什么2006年以前的报纸他看不下去，但到了2006年以后就好多了。我回答他说，因为这一代人毕业了，开始进媒体工作了。遗憾的是，在20世纪90年代中期我的朋友不喜欢看报纸，其实那时候的气氛更好，报纸自然更好看，也顺便启蒙了我。

我觉得用十年来界定一代人还是有些狭隘，我以前回答问题也从来不觉得一代人和另一代人之间有什么明显的分野，你说我出生于1989年和出生于1991年能有多大区别，无非前者万一是在某一天生日的话比较敏感，如果混论坛的话难以获得祝福。但就是这模糊的一代人，70尾，整个80后，90头，都充满着希望。他们现在很多都在社会里不上不下的地方挣扎，人与人之间的争斗也只限于勾心斗角，但都更加努力，因为社会剧变带来的暴富机会他们都没赶上。我少年去北京的时候，一直不屑于和我的同龄人交往，于是交了几个前辈朋友，虽然人都不错，但现在发现我身边的朋友还都是这一代人。所以我相信这一代人可以见证很多东西，我们今天所经历的一切，都是头皮屑。

我很期待这一代人各自拥有了更多权力以后的社会变化。权力改变权力。政府拥有公权力，但其实每一个个体的话语权、具体人权、能力、社会影响力，甚至苍白无力，都能汇聚成权力。足够多的后者，就能够改变公权力。但改变公权力并不是目的，束缚公权力才是。没有压力，何来动力？我们目力所及的某些进步也只是因为科技在进步。到最后，依然只有权力才能改变权力。

还是那句话，由什么东西组成的，往往就是个什么东西。所以我很好奇这一代人能组成一个什么东西。当然这不像中国人所钟爱的刷卡就能提现货那么直接，但是我觉得这个国家最光明的转机也许就在这一代人身上。

四年以后重新写这个标题。2008年的那篇虽然写得不错，但为了拍马屁，我拼命埋汰以前那几代，居然还说这一代人中的笨蛋和王八蛋还没有浮现。

以后每四年写一次吧，献给同年代的朋友们。

家世

偶像：写给张国荣

你一生没做坏事，所以，就是这样。

2003年4月1日，我开车从北京回上海。那是一段从清晨到傍晚的旅程。在那之前，我并不是你的歌迷，只知道你唱过《倩女幽魂》。我甚至觉得，你好久没做宣传，没出作品，已经过气了。

对你的了解从山东段开始。那里的山都是顽石，少见绿色。以往开车路过河北、山东和江苏，很多电台里都是卖春药的广告，还不停地有托儿打电话进来，说疗效好，怎么才能再买几瓶。这个世界上真的充斥着荒诞的欺骗。唯独那一次开车的旅程，我所能调到所有的频率里都只有你的生平介绍，当然还有你唱过的歌。我甚至发现，有时候，我偶然会哼唱一两段不知名的旋律，原来都是你的。路过临沂，电台主持人甚至自己在唱《奔向未来日子》。

对你来说，已经没有未来的日子了。你奔向了永远不会来的日子。那些岁月里，我是一个心高气傲的少年，对所有的巨星和偶像都嗤之以鼻，这也让我错过了你。等我懂你，我再没机会去看你的演唱会。要是早知道，无论有钱没钱，我一定会买一张最近的票。

没有什么夸你的。我甚至想，如果你还活着，机缘巧合，兴许能和你喝上一杯酒（虽然我几乎从不饮酒），说上几句话。那是一次奇妙的旅程。开过长江大桥，我就找一个休息站停了下来，吃了一碗泡面，江水声就在耳边。我买了两张你的唱片。这不能怪我，在高速公路服务区里没有正版的。我启程上路，把CD塞进了碟机。

我没能听见你的声音，因为我错买成了VCD。家乡离我越来越近。一千两百公里路程，我并未为你落泪。毕竟我们刚认识。到了上海，身边的朋友常常谈起你，有黯然神伤的，有伤心哭泣的，更多的是：哦，是吗，他这么有钱，干吗要自杀，可惜了。还有恶意揣测的，说你是得了绝症或做了见不得人的事情，不得已才跳楼。我每次都要和他们争辩。但两个星期以后，也便这样了，大家开始很少谈起你。一个月后，劳动节，大家依然不爱劳动；两个月后，儿童节，小孩依然欢声笑语；三个月后，四个月后，周年祭……到现在，九年了，这世界没有什么变化。这九年里，你陪伴我度过很多困难的时光，可惜那些激励我的歌并没能激励你自己。

我想我懂你了，Leslie。这眼前的世界并不是你我想象的那样。你改变不了。我改变不了。我今年三十岁，我没有你那么多的作品，你死去了，你的歌也许能被别人再唱五十年、一百年；我若死去了，我的文字也许只能被别人记得五年、十年，也许更短。我不见得能比你活得更长久，又或许我比你长寿很多。也许我会成为一个老顽童，也许我忍受不了自己变老。谁知道呢？

　　Leslie，我们会在时间的那头相见。我获得的成就不比你多，却也受了不少争议，也能算作谈资。和你一样，很多争议要到死后才能平息。也许不能，甚至更久。他日我们相见，你如果不嫌弃，可否让我为你写一段歌词。我写得还不错的，只是辛苦你要用普通话唱。你说你一生没做坏事，为何这样。我想我可以试着告诉你为何。因为，你一生没做坏事，所以，就是这样。

命里有时终须有，命里无时须强求

如果有人追我女儿，我肯定三天之内把这个人查个底朝天，然后把资料放她桌上。

现在的你，如何看待爱情和婚姻？跟十年前相比有变化么？

我对爱情和婚姻一直没有什么具体看法，我觉得遇见每一个人都会有不同的感觉。我感谢陪在我身边的姑娘，我爱她；我也想念不在我身边的姑娘，我爱她。那是不同的感受，但却都是深爱。命里有时终须有，命里无时须强求。因为命里本来什么都没有，只有诞生和死亡，而中间的都是你要强求的部分。缘分不是走在街上非要撞见，缘分就是睡前醒后彼此想念。

如何看待社会上泛滥的"小三"现象？

世界上没有小三，这个说辞源于局外人的一种莫名其妙的仇恨。无论我们把所谓的第三者描绘得多么难听，都不能抹灭爱。当然，你可以说责任比爱更重要，但并不是在一起就是责任，或者死死地必须和一个人在一起就是责任，否则就是不负责任，这是对感情的错误粗暴的概括。很多人的感情都是从第三者开始的，尤其是眼界高的人，你能看上的男人或者女人，他（她）没有什么理由和概率是单身的，要么你战胜，要么你共享。我也不觉得共享有什么败坏道德的，婚姻应该是开放的，也就是说，在获得了前配偶的理解和许可的情况下，你应当是可以叠加婚姻的，男女都应当是这样。你也许觉得这是对爱情的亵渎，我倒是觉得你也许不懂爱情，你不知道爱情的整个生命历程。我认为这是爱情的升华。世上唯有爱情，唯有想在一起的两个人。两个想在一起的人，便是最大，便是最正，他人皆是第三者。

独特的韩式教育法令人期待，在我国现行教育体制下，如何考虑孩子的未来？

我会自己编一套小学一年级到大学四年级的文科教材。当然还是要在学校里读书的，但更多的是为了认识朋友。文科方面，读我的教材肯定要比学校里的有意思多了。

你的职业赛车收入据说一年有四百万，奶粉钱足够了吧？

其实是这样，我的场地赛每年的收入在五十万左右，拉力赛一年收入在五十万左右，这是算上奖金的，也就是年薪差不多一百万，自己练车的费用大概是三四十万，所以还略有盈余，我已经很满意了。在中国靠开赛车赚钱养家的车手应该不超过十个。赛车和出版都没有那么风光的，虽然在两个行业做到顶尖会赚不少，但肯定不如人家卖掉一套市区的公寓赚得多。从赚钱的角度来说，我的确是入错行了。这两大行业除了作家、车手以外，车队老板和出版公司老板，在中国做得最好的估计一年也就几百万收入，应该是其他行业的百分之一，所以想发财千万不能来赛车圈和出版圈。但是很幸运这都是我喜欢的行业，赚得再少十倍我也愿意。

你是那种日后会对追求你女儿的人指手画脚的老爸吧？

如果有人追我女儿，我肯定三天之内把这个人查个底朝天，然后把资料放她桌上。我会告诉我女儿泡妞的手段是怎样的，什么该提防。比如，我觉得一个女人如果答应和一个男人单独吃饭、单独看电影，就是答应跟这个男人上床了。

韩小野在慢慢长大，她会有许多问题，你会告诉她全部的真相吗？

我告诉她能听懂的真相，听不懂的也没办法。比如路上有一个特殊牌照的车乱开，她要问为什么前面的车可以胡乱开，我就只能很简单地回答她，那是坏蛋。

虽然你不是娱乐圈的名人，但跟这个圈子交际还挺多的。玩得开心吗？交过娱乐圈的女朋友吗？

的确交际挺多的，幸亏你们的跟拍车经常跟丢我，要不然你们肯定会觉得交际也太多了。我玩得很开心。有过演艺圈的女朋友，可你们都不知道，嘿嘿，估计你们也永远不会知道。事实上，因为我的生活非常非常地简单，我一年新认识的女孩子不会超过五个，而且应该都是工作关系，所以我没有什么机会在社会上遇见喜欢的女孩。但是演艺圈的姑娘，我常在电视里、网站上、杂志上看见，我自然会爱上我一眼看上的姑娘。一般来说，遇见以后，姑娘也爱我。她们在我心中不是明星，不是艺人，就是好姑娘。

在娱乐圈，你有什么一定要坚持的原则么？比如会不会暗自决定过一定不做某件事、一定不跟某种类型的人合作之类的？

有，我不喜欢的人我不会和他们合作，给多少钱都没用。经常有娱乐公司给我电话，问我能不能为某个明星写本自传，能不能为某个歌星写真集的照片配上文字。很奇怪，他们是当真觉得作家很低贱吗？

作为独立的公共知识分子，你如何始终保持自己说真话的勇气并坚持说真话？

很多时候，也是赶鸭子上架。

听说你被限制出境，行动被监控，是真的吗？

这不是真的，虽然经常被删文章，杂志也遭遇一些麻烦，但是从来没有官方的人来找过我，可能他们怕出现在我的回忆录里吧。我出境很自由，而且应该还能回境。监控我行动的一般都是娱乐记者。

郭敬明说，你和他被娱乐是时代的需要，你怎么看？他说过，他的作品并没有你说的那么低龄。你对他的看法有改观吗？

我其实很感激有这样一个人，我们截然不同，甚至连受众都完全不同，大家却这么喜欢把我们放在一起比较。前一阵子有记者半夜打电话给我，说，郭敬明爆料，娱乐圈要出巨大的颠覆性新闻，问我知道是什么吗？我说郭敬明又没睡在我身边，我怎么知道？但是我其实很害怕，一晚上没睡好觉，因为前几天我的手机刚丢，里面事关重大，当然不是我和郭敬明的内容。好在最后什么都没有。

坦诚地说，他拥有广大的受众，一帮正待建立世界观的孩子，大家其实不需要他做更多的事情。我就是觉得很奇怪，他这样一个人，天天看电脑，天天上微博，难道看着这么多悲催的故事，就没有感觉么？很多时候，他只需要表达出一句，大意就是这很不公平，祝福他们，大家都会对他刮目相看。如果他觉得对人是有危险的，但那些要被抽胆汁的黑熊真的很可怜，你总能对着熊给你的粉丝说两句吧？可能有些人觉得，人各有志，不能强求，但是，这是一个作家的职业底线。只有在这个底线之上，你才能追求各自不同的文艺方向。这是我对他真诚的建议。

编者按：本文根据2012年3月《南都娱乐周刊》专访整理。

我不讨好任何人

牢骚也是社会进步的一种方式。

你身上的标签很多，青年作家、车手、公知、意见领袖、公民，甚至公敌，你自己怎么取舍和看待?

不同的媒体有不同的性格，所以我就像个旅行箱一样，被贴上不同的标签。这没有办法，但我也不会去拒绝这些标签，那也显得太刻意了。车手算是，至于作家，在2008年之前，我还不愿这样自称，特别是《长安乱》之前的作品，有太多模仿的痕迹，比如模仿钱锺书等，没有自己的风格。但2008年之后，我觉得可以称得上作家了，我的写作已经入门，自认还不错，《长安乱》之后的作品，有了自己的风格，而且没有再模仿任何人。

写小说有什么感触?

写小说有一种感觉就是你创造了一个世界，当你写完了以后回到现实生活中，这个世界又合上了。过很长时间再回头看那个世界，又是不一样的感受，而再回头写，又不一定能想出那么好的段子或者那么有情怀的地方。

你的产量不算低，而且对自己的作品也是越来越满意，在这种不断输出的情况下，你的输入管道是什么？还有一个难点，如何摆脱"输入"类似钱锺书风格的影响？

就是看书、看杂志。2005 年以前还会看小说，但2005年之后几乎不再看了。这里确实存在如你所说的问题，如果小说不好读，就是浪费时间；好读呢，就会情不自禁地模仿。我不希望自己身上有任何人的痕迹，所以现在只看资讯类的杂志、报纸，而尽量少看别人的文学作品。保持了这么多年后，现在反而成了别人模仿的对象。

除了小说，你还有铿锵杂文，有人说，假以时日，韩寒会成为第二个鲁迅。

我不喜欢鲁迅，不喜欢他的文风，他太计较了，我不喜欢写文章那么计较的人。相反，那些和鲁迅论战过的对手，比如梁实秋、林语堂、胡适，我反而更喜欢。他们比鲁迅更大气。

你给雀巢咖啡做的一则广告："写作最快乐的事莫过于让作品成为阅读者心中的光芒。只要你敢，总会有光芒指引你。"

所谓"活出敢性"，也许又是一个契合我的标签。可以后悔，但不留遗憾，有很多事情做了以后发现自己傻了或者失败了，但还是要去做。我从学校出来以后到现在做过很多事情，经历了无数失败，我觉得我算是挺勇敢、挺敢性的。当然那些失败你们都不知道，因为凡是失败的我都没说，只把成功的告诉大家了，但是如果没有那些失败，也没有现在的我。

声音太多，意见泛滥，公知或者所谓意见领袖岂不成为牢骚领袖？

本身就是牢骚领袖，但牢骚也是推动社会进步的一种方式。

所以你曾发了一个很霸气外露的"牢骚"：一个好的写作者在杀戮权贵的时候，也应该杀戮群众。当时，为什么选择"杀戮"这样激烈的字眼？

没找出其他的，不能用屠杀，也不能用批评，批评太平庸，所以选择了杀戮。

说到生活，前面提到的那个谁也不讨好的"谁"，应该有一个例外吧？比如你的女儿？父亲的这个标签，我们刚才一直没有提起。

父亲是烙印，不算标签。

有女儿后，生活有什么改变吗？

还好，不太多。

有一封像是你写给女儿的情书，"我只希望我的女儿高兴，无所谓她能不能获得中国意义上的成功。"在感受温情的同时，不免有人会质疑你男权主义倾向严重，把女孩子想得太柔弱。

难道不是吗？这个世界大家各司其职，但有的事情就是这样，比如走夜路，比如竞技体育，在很多方面，女孩子是会吃亏的。我是个很保护女孩子的人，所以我不希望太太出去工作，我要保护女儿，如果说这是男权主义，那我承认。

如果女儿以后不想上大学，或面临其他问题，你会干涉吗？

以后肯定会面临很多问题，她也会有叛逆期，还有很大概率会去为傻逼织毛衣。我可以一直养着她，但是没有人会愿意一直被别人养着，即使是自己的父亲，毕竟人都希望得到正向的社会评价。

这里有三点很重要：不给社会造成负担，不给父母造成负担，有自己生存的本领。有本领特别重要，这样无所谓上不上学，不上学太好模仿了，写个退学申请书，或者干脆一个月不去自动退学，单纯的不上学不是有本事，模仿有本事才是真有本事。所以，我希望女儿有社会生存的技能，上学我不会干涉，但是我会干涉她学本领这件事。

平时在家做家务吗？觉得自己是个好老公、好父亲吗？

不做家务，我在生活上比较粗心，不破坏、不产生副作用就不错了，呵呵。但肯定是个好老公、好父亲，当然也有愧疚。我习惯半夜写东西，夜里三点还要吃顿夜宵，都是我太太起来为我做。这么多年，在生活习惯上，也逐渐适应了。她还替我打理很多事情。所以，一来有愧疚，二来在女儿最可爱的时间，陪她太少。

你有没有通过文字来取悦一些人？

我取悦不过来，我只想对他们说"你们有眼光"。

人生是在失败和跌倒中逐渐成长的。如果有时光机，你会对曾有的坎坷作修正吗？

大的事情和方向不会修正，但诸如某场比赛出现的失误，喜欢某个姑娘没有去追，路上开车追尾了，这种事情我还是想修正一下。

不回头，向前走，有什么新的打算？

现在做事很奇怪，有一些阻力和事情本身没有关系，如果事情本身只花百分之十的精力，那为了把这个事情做下去，则要花百分之九十的精力用于沟通和消除阻力，这个能做那个不能做，这个能写那个不能写，这个能拍那个不能拍，这个能唱那个不能唱……

还有来自同行的阻力，很莫名，看你不顺眼，就给你阻力。

虽然杂志停了，你还可以写小说，可以写杂文，发博客。

但是做得还不够，写得还不够，2011年写得越来越少了，大概只发了二十篇博客。我觉得该写的都写了，所有悲剧其实是在重复上演，但我也不能重复写啊，因为写作者对自己的文字是有要求的，你所有用过的词汇不能再用了，你总不能说这个地方参看去年写的文章吧？悲剧只是换了个主角，但形式都一样，而且写来写去，这个悲剧为什么会发生，无非就是这些原因。但是今年，还得写，因为这个世界不明事理的傻逼太多了。

有可能突破你所说的"写作者对自己文字的要求"，可见你是社会责任感挺重的人。

是的。我觉得消费无处不在，大家说我，还在消费我呢。活在这个世界上就是在消费这个社会，就看你是向善的还是向恶的。写作者，不写这个写什么？那些风花雪月的故事，不适合我写。我从小就有这种所谓的责任感。记得小时候坐在我爸自行车上，我就说镇上谁谁谁好贪，要打倒他们。只是现在不像小时候那么看待，会分析事情是怎么发生的，同一个人身上有好的也有坏的一面，不像小时候，好的就是好的，坏的就是坏的，那么分明和绝对。

通过更多写作和发言，你是想改变而不只是影响这个社会吗？

《牯岭街少年杀人事件》中有这么一句台词，"我和这个世界一样，这个世界是不会改变的"。这句台词被很多人当作经典，我不这么认为。首先人会变，其次这个世界也会变。很多时候，我也曾灰心，觉得人似乎不能改变什么，但其实，每个人都可能改变，机缘巧合，也许有个人会因为读了某篇文章，受到某个人观点的影响，就真的改变了世界。

编者按：本文根据2012年7月《北京青年》专访整理。

写给每一个自己

红灯永远不能照亮你的前程，照亮你前程的，是你的才能。

最近三个月，看世间百态、人情冷暖，失落与收获都颇多。

失落在我出身是纯正的上海郊区农村屌丝，无权无势，白手起家，本以为自己是一个很励志的"屌丝的逆袭"的故事，却硬要被说成一个经过多方神秘势力包装的惊天大阴谋；失落在北京有一个几面之交的"名流友人"，莫名编造了一个内幕，四处传播，让我心寒，我愿怀着善意，相信他是无心的吹水；失落在我自己，太过在意，害怕深文周纳，行文变得谨慎。收获在很多谋面和未曾谋面的朋友仗义执言，虽然都被打成利益集团；收获在十几年前的同学为我说话，虽然因为回忆太远往事，细节互相有偏差，被打成诈骗团伙；收获在我看到太多人心和各种面目，以后写小说刻画人物会更加精彩。

人的处事风格和性格不是一成不变的，尤其是十六岁到三十岁之间。

我写过一些不错的文字，也写了不少烂文章，无论状态起伏，无论风格转变，都是一个人的成长历程，谁人能在十四年的青春里保持纹丝不动？我二十岁出头的时候主张抵制日货，是个民族主义者，2008年的时候开始反对抵制家乐福；我小时候主张打仗收复台湾，现在都不好意思承认自己这么说过；十七八岁时，我居然说，活着的作家中，写文章论排名老子天下第二，现在想起来都脸红，更让我脸红的是当年我心中那个第一居然是李敖。我少年时装酷，追求语出惊人，这些话现在看来，很多都惹人厌恶，甚至还惹自己厌恶。把各种傻话挖出来，总会击中不同的人。谁没有年少过？你在宿舍里说过的那些蠢话，你在树林里幼稚的表白，现在拿出来可不都得笑死，没有人永远和过去的自己一致，除非你不再成长。

接触过我的人都知道，我面对生人其实腼腆拘谨。这点从小到大都未改变。也许我把性格里的另一面都发泄到了赛车和写作中。只要不是被踢走，我在一支车队一效力就是五六年，有合作的地方只要没有意外都会一直合作下去，酒店都选熟悉的住，吃饭永远去那两三家，点的也永远是那几个菜。我性格就是这样。也许因为我选择走的道路太不一样，充满未知，所以我很希望日常生活里没有变故，不再有陌生的事物。我口才不算好，有人把我十几二十岁时的电视采访都挖了出来，挑了回答得差的问题和木讷的地方拼接在一起，以验证我是一个草包。

是的，大家尽可以挖苦我，嘲弄我，也许有的人在二十来岁的时候上电视能泰然自若、出口成章，比我强很多。今天我知道了口无遮拦的代价，知道了年少轻狂的代价，知道了直来直去的代价，知道了不设城府的代价，但明天我还会这样说话，外交辞令永远不会出现在我的嘴里。我在很多地方笨拙，嘴皮子也要不好，所以我选择了写东西。面对键盘，我拥有我自己的世界，就像我倒车经常撞，停车老停歪，但戴上头盔，坐进赛车，我依然是个好的车手。这就是我的性格。人的性格未必只有一面，也未必需要符合其他人的设定。每个人的境遇和脾性都是不同的。你不能拿着标尺先裁量自己，再去宣判每个与你尺码不同的他人是伪劣产品。

我反智么？是的，我反弱智，我还反各种束缚人的体制。我学历低，学识差，也有很多缺点。我有恶趣味，但我最怕无趣；我口无遮拦，但我最恨道貌岸然。我常说错话、得罪人，也常道歉反思。此番我又发现我十七岁时的书中有一句话错了，那就是七门红灯，照亮我的前程——红灯永远不能照亮你的前程，照亮你前程的，是你的才能。

在很多采访里，我常说一句话：人，可以不上学，但一定不能停止学习。我也常说，为了避免早期作品中模仿他人的痕迹太重这个缺点，我不再看其他人的小说，但一定不能停止阅读，只有阅读，才会进步。硬要控制信息，断章取义，我也没有办法，也许我们读着不一样的书，走着不一样的路。我只是选择了做自己喜欢的事情。为了写作，我影响了学业，最后退学；为了赛车，我又几乎放弃写作，不计代价，孤注一掷。我运气好，都做得不差。

我相信造物者一定赋予了每一个人特殊的才能，只是很多人没有发现而已。也许此刻，有很多莫扎特正在编程序，很多舒马赫正在写文案，很多张曼玉正在当前台，很多李开复正在做中介。我只是比很多人幸运，找到了自己喜欢又适合的事。同时我也有很多比你们蠢笨的地方，怎么学都学不会。每一个人，纵然缺点一身，但必然有一些地方是长于他人的，那是你区别于他人的标记，也是造物者公平的地方，就看你能否找到这些标记。

没人能让所有人满意，所以让自己和你中意的人满意就可以了。你所判定的一切，也许就是你自己内心的投影。人生就是一个不断接纳和抛弃的过程，就是一段迎接冷眼嘲笑孤独前行的旅途。KO不了你的，也许让你更OK；没让你倒下的，也许让你更强大。我也将尽我所能，为在乎我的人创造各种东西，绝不向厌恶我的人解释这是个什么东西。

最后我想到一部电影的结尾。

朋友们，愿你带走我身上你们中意的那一部分，踩两脚讨厌的那部分。当你站在城墙上，拥抱着你所喜爱的那部分，回头看到人群里转身远去的那个叫韩寒的家伙，不妨说一句，那个人样子好怪，他好像一条狗哎。

过去式

操，你想怎样

电影只要关注现实，就不会太烂，谁让现实那么烂。

最近看了两部"复仇者联盟"，一部来自美国，一部来自台湾。来自美国的自然不用多说——《复仇者联盟》，捧着爆米花进去看，边看边惊叹，看完再对一圈朋友说，你不得不看。但是我重点要说的是另外一部电影——《赛德克·巴莱》。

这是《海角七号》的导演魏德圣的电影。《赛德克·巴莱》这个名字很难记，我的朋友口中就出现了奥德赛巴莱、塞德莱巴克，甚至还涌现了塞巴斯蒂安。对我而言，它的另外一个名字《彩虹桥》可能更顺口。

我有一个习惯，对于差的电影，我会彻底剧透之，因为它烂透了；但对于好的电影，我不喜欢诉说情节。《赛德克·巴莱》中，你也许对"雾社"这个地方非常陌生，没有关系，就像你也许不知道牯岭街，但你只要知道少年杀人事件就够了。看了不少台湾的小清新电影，给我留下的印象的确就是"嗯，你想怎样"，到了《艋舺》，变成了"哼，你想怎样"。《赛德克·巴莱》终于把台湾电影变成了"操，你想怎样"。

这是一部绝对值得去电影院看的电影。不用思考所谓的文化、殖民、隔阂、族群，只需要看看男性应该如何去战斗，他们的热血洒到了哪里，你甚至不需要思考相互之间的仇恨是如何埋下的，该怎样才能消弭这些。文明啊，信仰啊，想这些都太累了，就去看看人性里最简单狂野的方面。如果文明不够文明，那就让野蛮足够野蛮。

当然，从《海角七号》到《赛德克·巴莱》，魏德圣还未得胜，从优秀到经典，他离他的野心还差一些。内地版本的《赛德克·巴莱》从台版的四个多小时缩成了两个多小时，导致有些地方观众还没入戏演员就高潮了，看着突兀，剪辑版的素材选择也有些问题，但它还是近期最好的华语电影。

这部电影的制作过程跌宕起伏、悲喜交加，导演把《海角七号》赚的钱和家当全都押上了，周杰伦、郭台铭、徐若瑄等一众朋友到最后也在替这部电影筹钱。我相信，把向周杰伦借钱的过程拍一个电影，说不定票房更高。但这都无妨《赛德克·巴莱》成为一部好片子。

香港有了经典的《桃姐》，遗憾我在它下线前一天才看到，没能来得及介绍。台湾现在有了《赛德克·巴莱》，内地电影得赶紧了。《飞越老人院》不错，《杀生》、《黄金大劫案》也不差，但都不够。好在《战国》之后，古装大片总算告一段落，所以奇葩出现的概率也急剧降低。电影只要关注现实，就不会太烂，谁让现实那么烂。但关注现实的电影也容易因为审查的原因妥协或者被修改得面目全非，哎，你们想怎样。

排场无关格局，气派不是气势，这里再向大家推荐两部老电影。

一部是《这个男人来自地球》。这是一部经典的科幻片，如果不考虑画质，你用iPhone和一张沙发就能拍出来。这场似幻似真的围炉夜谈值得你买张碟看，只要你不是那种看电影要纠结于擎天柱为什么不用加机油的人，相信都会喜欢。

另外一部是我去年推荐过的电影《怦然心动》。

前天又看了一遍，再次感动，再次推荐，再次把电影里这段话写给大家。

Some of us get dipped in flat, some in satin, some in gloss…But every once in a while you find someone who's iridescent, and when you do, nothing will ever compare.

有人住高楼，有人在深沟，有人光万丈，有人一身锈，世人万千种，浮云莫去求，斯人若彩虹，遇上方知有。

为热爱的人或事物洒下热血和热泪，最坏的结果无非就是对方一句"你想怎样"。

微博

文章比段落更具力量。

一、时代总是裹着你往前走，无论你多么喜欢诺基亚，你总会用上苹果；无论你多么喜欢胶片，你总会用上数码；很多人都怀念老款汽车的经典和韵味，品玩一番，赞不绝口，然后开着新款车回家过日子。

二、博客虽然在传播性上差很多，但安安静静，如同家园。打开之时，音乐传来，那种熟悉就好似打开家门，黑暗中就能顺手开灯。几年来，我链接里朋友的博客一个个都已经荒废，颇有感慨。现在虽然打开了微博，我依然会把大部分微博上的内容都放在博客上。

三、这几天写了三篇微博，两篇长的，一篇短的。长的还在，短的事关萍儿和小薇，因为小萱不满，已被珊珊带走。这两天数次想发短微博，但都忍住了，因为微博不能修改，如果反应太快，传播太广，很容易在事情还没弄明白的情况下出错。但等彻底弄明白了，又发现来自五湖四海各行各业的明白人实在太多了，把东南西北中发白各种角度都写透了。

四、我以前一直不开微博的原因在于我很喜欢把那些小机灵、小段子和各种观点放在长文中，生怕憋不住，微博里用光了，长文写不好看。这点我一直比较传统，相信文章比段落更具力量。既然打开了，有话则长，无话则短，除了新写的东西，哪怕练练字，贴篇旧作，或者赛车视频、拍的照片，或者沉默不语，高兴就行。

五、向我的读者推荐我的关注名单里除了私交以外所有的人，尤其是文化人。这是我身披马甲潜水两年收获的成果。其中绝大部分人，我和他们都素昧平生，但我从中收获了很多知识与乐趣。虽然各花入各眼，我未必是对的，但关注这事情就好比少年交友，有了好的关注，生活更加丰富；有了错的关注，哈士奇和狼都分不清楚。

我的2011

我希望我写的只让我自己更喜闻乐见，不再讨好除了我女儿以外的任何人，想写的写，不想写的就一个省略号。

2011年早在几天前就过去了。

上学的时候，我特别讨厌写年度总结，因为那时候的一年一年，除了没有什么可以总结的以外，总是觉得没有必要对一个向你强行下达任务的人掏心掏肺。我要记得的总是会记得。后来发现记忆真的不是特别靠谱，所以现在我愿意用文字记录下来。而我很小的时候，一直以为，备忘录的意思就是把事情都记在一本本子上，然后准备忘记。不过……难道不是这样的吗？

去年，我的赛车成绩还不错，全国锦标赛一共十一场，除了两次赛车故障以外，九次登上了领奖台，并且为"上海大众333车队"和"涡轮增压赛车"获得了第一个全场冠军。今年我也为"斯巴鲁中国拉力车队"获得了第一个车手年度总冠军。上一次获得全国汽车拉力赛的车手年度总冠军是2009年。加上2007年的全国汽车场地赛车手年度冠军，2008年全国汽车拉力锦标赛1600CC组车手年度第一名，我已经收获了四个年度第一。在此感谢我的车队朋友和技师们。

1993年，我第一次在电视里看见港京汽车拉力赛，当时就立志长大以后要进入国家队开赛车。后来，我长大了，也开赛车了，但国家队没了。1993年，我坐在电视机前的椅子上幻想，十八年后，我可以不负十一岁的自己，还是挺为自己觉得高兴的。其实我并没有要很励志地告诉大家坚持理想，1993年到2003年期间，我其实完全忘了当年电视机前的我怎么想来着，一直到后来有了条件才下意识开始尝试练车。有的时候死死的坚持可能会在一个合适的时候重拾，无论对理想还是对感情都是这样。当然，这完全因人因事而异，并不那么通用，纯属个人际遇。我可不是机场电视传道士。

2011年，我的好朋友刘曹东去世了。他去世前是拉力赛场上我最好的对手，也是中国最好的拉力车手。2009年我赢了他，2010年输给了他。一转眼，徐浪也离开我三年多了，他更是当时拉力赛场上的王者。我是责怪他们的，因为他们让比赛的胜利少了很多含金量。他们一走，就算如今我又赢，也充满遗憾，好似山中无老虎，猴子称大王。这和我做其他事一样，也是时无英雄，让竖子成名。既是猴子，又是竖子，我明明是双子座。我特别希望能和东东、徐浪一起比一场。当然这话说出来没有什么意义，他们不能复活，我也不愿死去，纯粹表达怀念。

有人离去，有人来到。我成为了父亲。除了我特别喜欢我女儿以外，最重要的是，我的女儿特别喜欢我，不出意料，她先学会了叫爸爸。有媒体采访过我，问我关于女儿和儿子的想法。我记得当时大致是这么回答的，我只希望我的女儿高兴，无所谓她能不能获得中国意义上的成功，只要她人品好，我愿意为她创造一切的条件，我愿意为她生造一个世界，让她不用在这个残酷而缺德的社会里受苦。当然，一切都随她的意愿。她如果愿意尝试，那做什么都可以，我只是她登高冒险的一张防坠网而已。如若未来有变故，养女儿困难，给李彦宏开车，替白烨磨墨，帮陈凯歌打灯，我都没问题。当然，我还想要更多小孩，如果有男孩，那就活该要受苦了，他得扎到这个现实里，奋力拼搏，养活自己并尽力改变社会，争取给天下的小女儿们创造更温良的环境。

2011年，我自己的文章也发生了很大的变化。这些变化其实是从2009年和2010年开始的。那时候我写文章，针砭时弊，批评政府，完全发自内心的痛恨。我是一个最恨束缚的人，也是一个晚上开车看见路上有一个坑都会报警并守着这个坑的人。我甚至认为制度是一切罪恶的源泉，制度必然带来巨大的弊端。我从这些批评中获得了很多的赞誉，于是我开始在意这些赞誉，甚至不自觉地迎合。然而悲悯都抵不过悲剧的重复。

　　到了2010年，我作的很多批评几乎都是有罪推论和变种八股——制度不好，政府腐败，悲剧发生，人民可怜。我想在任何社会里，这样的批评都会受到民众的欢迎。是啊，你在任何地方，对任何人说，咱们真是可怜，你的上司是个屁，他弄砸了这么多事情，还开好车养小蜜。以你的能力，远不应该只获得现在这些，而且凭什么让那个傻逼当你上司，人人都有当上司和换上司的权利，他的那些东西，都应该是你的。这话除了那个上司不爱听，谁都觉得说到他自己心坎里去了。我这么写文章，再加几句俏皮话，大家肯定都觉得我说得特别好，而且凡是不赞同者，皆会被民众说成五毛，就算想批评我两句，也得先夸一千字，才能委婉提上一两句，否则很容易引起不满，被戴上各种帽子，就像我批评的那些人给其他反对者扣帽子一样，所谓左右之间从来都没有协商和妥协。当我发现批评我的人越来越少或者越来越小心翼翼的时候，我自然高兴了一阵子。但后来我总觉得不对劲，我知道无论我说得多么对，我必然有地方错了。

　　于是，想了很久，我逐渐觉得，一个好的写作者在杀戮权贵的时候，也应该杀戮群众。2011年间早些的文章我就开始有所变化。当然，在批评中，如果两者并列，则应先批权贵，很简单，权贵捞着利益了，苦全是平民受的。但这不代表一个好的作家应该无穷尽无底线地讨好民众。

好几年前，我还是一个坚决的革命者，认为凡是一党制的，就要推翻它，必须多党派，必须直选，必须三权分立，必须军队国家化。当时也有朋友和我争辩，说会死人，会混乱，会倒退。当时我的观点是，不一定啊，没试过怎么知道，你那是统治阶级的推脱之辞，再说了，什么事情都是有代价的，你不做得极端一点，不激进一点，怎么铲除顽疾？大乱才能大治，反正到了乱世，我未必不是枭雄。但是我逐渐发现，这种态度和那些独裁者的"我死后，管他洪水滔天"在感情上其实差不多。脱离了现实的极端理想主义者和现实之中的独裁者在品质上未必相反，甚至类同，只是他们各自高举着不同的旗帜罢了。你未必不会成为那个曾经最让你恶心的人。

所以，我不希望成为一些别的什么，而一切和我的工作有关的自由，我会依照宪法，不停地要，躺着、坐着、站着、走着、写着、说着，我只有不停地要，要到你想逃。无推动，无变革。

至于写作，在新年里，我希望我能写的只让我自己更喜闻乐见，不再讨好除了我女儿以外的任何人，想写的写，不想写的就一个省略号。

最后，在过去的一年里，我的个人感情方面……

这事儿都过气了

你所关注的一切，就是你所看到的世界。而这个世界更新得越来越快，你都来不及下载。

写博客写了六七年，偷懒成我这样，加起来居然也已经有了数百篇文章、几十万字。后来各种社交网站带走了一半人，剩下的一半人这两年也被各个门户网站的微博带走了。我左边的链接里全是一两年没有再更新过的朋友，不止是人走茶凉，茶都干了，只剩下杯具还放在那里，估计大部分人连自己的登录名和密码都忘记了。

但我更喜欢这样，就像你一直在这里，忽然之间涌来一批人，和你干着一样的事，忽然他们又都走了，这里并不冷清，但周围不再纷杂。

很多朋友问我，为什么不开微博。其实我开过几天微博，后来觉得不适合，便把账号关了。并不是一百四十个字不够我写的，谁高兴写一千四百个字啊。这要是写文章，还得想半天，一百四十个字，只用想些佳句就成，没佳句的日子里转发转发也行。

在开了大概一个星期以后，我觉得自身发生了变化。

首先情不自禁地老要去看看有了多少转发，新加了多少粉丝。我说了一句话，有多少人在夸我，多少人在骂我。这个骂我的是带V的，他是哪路的。那个夸我的看头像是个美女，她是哪里的。哎哟，还挺好看的。来，我加她一个关注，她就肯定主动私信我了。一来二去，约个啥吧。

啊，这发生了一个悲剧，看着挺惨的，又写不出什么文章，转发一个谴责两句，这符合大众对我的期望，我应该是嫉恶如仇的嘛。

哟，漂亮姑娘发我私信了，我去多翻两页，挖挖人家的生活照，别看走眼了。

这里有个朋友让我转转他的新书出版了。

啊，刚才那个悲剧原来是假新闻，妈的，看着和真的一样。

哎哟，这么多人夸我，我回个谢谢吧。对了，这个人也夸我，这是个有头有脸的人啊，我是不是不在他下面留言，而是转发他那条再感谢一下，那就有更多人看见他是怎么夸我的了，反正这也不算不要脸啊，皆大欢喜。

嗯，这个悲剧看来是真的，新浪都确认了，我赶紧评论两句，再错了反正就是新浪的责任了。

那边又出了个悲剧，我转一下吧，哎，等等，我这么一转，那是不是转发都归人家了，我是不是该组织一下语句，然后开头写：刚才看见了一个新闻，××市发生了……这样我自己数据上更漂亮一些？也显得自己没一天到晚在刷微博。操，这是什么心理啊。

　　算了，该睡觉了。咦，起床了。赶紧去看看评论，再刷刷新闻。对了，还要看看私信。新增加的关注我的人太多，我是看不过来了。

　　哟，这个女明星也关注我啊，我还挺喜欢人家的。来，私信勾搭一下。人家还专门写了个微博说我来着，我回一条调个小情。

　　这个人是谁，好像哪里看见过，来，我看看他的资料，哦，他公司这么大啊。

　　哎哟，这个小姑娘被烧伤了，真可怜，转发一下捐点钱。

　　我是不是该写点人生感悟啊，可我人生最近也没感悟什么啊。操，混了这么多年了，编点不会错的心灵鸡汤总是没问题的，虽然我总看不起那些精神导师。

　　我该去外面办事了。没事，我手机还能上微博。

　　我朋友短信我说我关注的那个姐他以前认识，好，假装问问人家什么情况。啊，那姐已经结婚了？操，怎么看丫微博还是一副单身楚楚待泡的样子。

　　那我关注下我朋友的微博吧。啊，什么，丫转发的第一条就是在高速公路上救狗的微博，还在哀求大家救救这些金毛吧。妈的，当年冬天就是丫把自己家的草狗都吃了进补……

是的，写下这些我心里特别舒坦。我是一个虚荣的人，有时候甚至还虚伪。由于我得到的越来越多，所以也可以假装越来越不虚荣，因为有了一些真荣。但我的内心还是虚荣的。不出席所有颁奖典礼、不去各种上流场合其实是另外一种虚荣，并不是淡泊。

博客写了好几年，现在我已经不会再被评论和期待所干扰了。开了几天的微博，我陷入了一种意淫的豪迈。当然，也许就我一个人这样。可能其他人都是信手拈来、举重若轻、虚怀若谷、德艺双馨，心里也没有我那样的小九九。我觉得这样的状态影响了我，甚至也许还会影响到我写文章，我就关闭了它。不过如果你不是一个写作者，我觉得这真是一个调剂生活的好工具。在微博上面每一个人都可以有更好的自己。

微博改变了资讯传播的形式和速度，让一切屏蔽变得更加复杂和困难。事实上，是互联网改变了这一切，而有些产品让传播变得更加麻利。我有一个小马甲，每天看看有了什么样的资讯、发生了什么样的新闻，其实和以前没区别，但是更省事。以前我通过看报纸获得资讯，可能我要看二十份报纸；后来我上论坛，我要上四五个论坛；现在有了微博，只要关注的人够多，而且都对胃口，我只要注册一个账号。虽然有更多的丑恶曝光，但事情也过去得更快了，不像看报纸的时候，过一两个月我还能看见追踪报道、深度报道。那时我还在上初中,觉得丑恶如果被发现,都要被晒好几个月。后来十二年前上论坛的时候,发现原来有这么多事我不知道。到现在上微博,知道的更多了,但只要事不够惨,上午的事儿下午就得靠搜索才能找着了。但是我发现,从看报纸到看微博,我其实还是我,我并没有影响到身边的朋友,他们依然有着自己的关注和兴趣。如果说我的文章影响了读者的口味,还不如说是有着一样口味的读者找到了我。

我越来越觉得很多东西的结果,其实并不是不同人的改变,而只是同类人的聚集。在我的微博马甲里,你觉得这个政府糟透了,时日不多。在别人的微博马甲里,你觉得生活挺安逸的,一切都好。所以,你所关注的一切,就是你所看到的世界。而这个世界更新得越来越快,你都来不及下载。

上个礼拜两天忙着比赛,没有上网。到了周一,比赛结束,回去的车上,我打开微博。看到了我朋友在写一个多礼拜前发生的一个悲剧,他说他认真想了七八天,翻阅了一些资料,觉得也许是这样的。他分析得很有道理,我深表赞同,平时都有很多人转发他的微博,结果那条才几十个人转发,评论的第一页有一条就是:怎么现在还有人说这个啊,这事儿都过气了。

一个流传多年的谣言

每个人的道路都不同，我走在我的野路上，她走在她的大路上，都值得祝福。只要不走歪路邪路，每条道路都有成功的方式。

今天，我要郑重地辟一个谣。

有一个每过一段时间就会被拿出来的段子，每次出现转发都上万，内容与我有关。大致是这样的，十多年前央视做了一期节目叫"对话"，请来三个"三好学生"，都是女孩子：马楠、刘亦婷和黄思路，而我作为反面教材出现，被观众和嘉宾大肆批判。十年后，这三个女孩子都嫁给了美国人，没有了声音，而我一直留在中国，成为了一个针砭时弊的有良心的知识分子。

当然，要谢过撰写者和转发者对我的美化，但真实情况是这样的：十多年前，央视的确请我去做了一期叫"对话"的节目，这期节目差点做成"对骂"。参与这期节目的女孩子只有黄思路一人，她弹得一手好钢琴，也很有才华，我十分欣赏羡慕，节目中并没有把我们对立。马楠和刘亦婷则根本没有出现在这期节目里。

这个广为流传的段子对这三个优秀的女孩子是很不公平的。虽然北大学生马楠在克林顿访华的时候责问克林顿，但这完全无妨她对美国态度的转变，我小时候还想参加志愿军进行第二次抗美援朝呢，我初中还赞成武力收复台湾呢，最傻的时候我还把拴狗的链条带在身边当星云锁链呢，人对世界的看法不会一成不变的。就算她不转变想法，又何错之有？责问克林顿与嫁给美国人之间没有任何道德或逻辑的关联。何况我查证了几年前的新闻，马楠拿绿卡，去美国留学等都是谣言。

关于刘亦婷，《三重门》出版时，正赶上《哈佛女孩刘亦婷》火热，她在美国，也很出色。每个人的道路都不同，我走在我的野路上，她走在她的大路上，都值得祝福。只要不走歪路邪路，每条道路都有成功的方式。黄思路也是，在央视的那期节目之后，我们互相还有过交流，表达过对彼此的祝愿。据我所知，今天她也很成功，生活幸福。并不是成名才叫成功，在自己从事的领域里立足和杰出，或者家庭美满，就已经是成功了。这年代，成名算屁，多少屡秀下限的傻逼也能粉丝绕膝。什么叫一个人没有了声音？用微博刷你屏，上电视当嘉宾，啧啧有声舔臭脚，头破血流扮名流，这就叫有声音？黄思路、刘亦婷和马楠，她们只是按照自己的意愿做出了选择。我知道类似的传言能煽动民族情绪。把这些未经查实又没有关联的内容捏合在一起，虽对我有利，却结结实实损害了另外三个女孩子的清白和名誉。对社会现状的不满不能转嫁到这三个没有做错任何事情的姑娘身上。她们自食其力，出国留学，爱上外国人，这很好；我待在中国，没娶洋妞，也不代表高尚。

至于我，的确没想过要移民海外。没有什么崇高的理由，也不怕你用动机论、阴谋论来解释，说白了，纯粹就是因为到了国外过不惯。我的朋友、家人、亲人、读者、车队、赛事都在这里，我也喜欢看中文，吃中国菜。我热爱一片土地，是因为这土地上站的人。我爱的人们在哪里，哪里就是我的所在。

最后祝福任何移民的朋友，定居海外的人，在国外念书没有回来的学生，愿你们替我多呼吸几口干净的空气，愿你们在更公平的环境里创造一切。能造福你们的，迟早会造福我们。

我造就了我自己

你的内心快乐，就是立了。

你博客的点击量从2006年开博以来已超过了三亿五千万，人气非常之旺，对此现象你自己是怎样看待的？你觉得这说明了什么？

我想大家来看我的文章，可能是为了发泄日常的郁闷，我的博客就像公共厕所，匆匆而来，解完手感觉很轻松。随后他们会发觉，幸亏有了公共厕所。当然这并不能改变生活，但同时不去厕所人会憋死，而要是随处大小便的话又会给社会带来麻烦，所以公共厕所是必需的。

你愿意成为王小波那样的公共知识分子吗？

想起王小波是很难受的一件事情。王小波生前写了那么多文字，苦口婆心讲道理、说常识。后来他死了，人们才假装发现了他作品的价值，觉得他写得不错，是个优秀的作家。如果王小波没有死，到今天的话，他在人们口中应该算是那种一天到晚炒作的人吧。炒作和冒着一定的风险发表观点是有很大区别的，也是非常好分辨的。只可惜，大家似乎都分辨不了。

在这个国家，做一个忧国忧民的人是最傻和最痛苦的，国家不乐意，国民不在意。我不要做那样的人，我只希望自己六十岁时是个被年轻姑娘喜欢的深沉的老顽童。

大家都认为你的成长曾经非常顺利，很取巧。你自己觉得不取巧，也经历过很多挫折。其实公众对你还有另一种身份期待，比如"公民韩寒"，你对这个称谓怎么看？

"公民"其实只是媒体使用的一个带保护性的词汇，对于媒体来说，他们其实希望突出的还是一个公共知识分子的形象，但因为公共知识分子或者反对者、批评者这样的词语很敏感，大概"公民"是比较安全的。

我认为一个更良好的社会应该有更多的知识分子，越来越多的知识分子。只有知识分子很多的时候，这个国家才会更向前，更进步。而意见领袖如果多的话，其实不见得是一件多么好的事情。

你不太愿意谈论小说创作，为什么？

有媒体让我谈一下对《三重门》中主人公的看法，我既不能夸自己，也不能骂自己。小说是一个很私密的东西，肯定有作者的个人体验在里面，所以我不愿意谈。你可以不喜欢我的小说，但非要我解释一遍，作为一个高级别的作者会很扫兴。我是读者时就很不喜欢解释或者讨论一本书所说的到底是什么内容，万一我看到的和作者说的不一样，我们俩到底谁出了问题？

有人说，我很想问问韩寒，他的《一座城池》到底想表达什么？

我觉得他去问自己的语文老师比较靠谱一点，语文老师肯定能回答这个问题。

你对那些三十岁后还没有立业的男人有什么要说的？

真的很难说什么叫立，什么叫不立。有钱、有名就叫立吗？如果活得很开心，但钱不是很多，我一样可以说是立的。家庭幸福，哪怕事业刚刚起步，不是很顺利，这些其实都是立。你的内心快乐，就是立了。

你怎么看待狂热的追随者？你觉得是他们造就了你，还是时代造就了你？

是我造就了我自己。

编者按：本文根据NHK、《中国新闻周刊》、《南都娱乐》、《南方周末》访谈等综合整理。

我是

春萍，我做到了

历史只会记得你的作品和荣誉，而不会留下一事无成者的闲言碎语。

从浙江龙游离开的时候，老天依照往年的惯例在下雨。

如果没有拉力赛，我想也许此生我都不会来到这个县城。每次开到这里都是凌晨两点，都要去杨爱珍大排档吃一碗小馄饨。离开的时候都是周一的中午，再随手买一些吃的带上车，话说浙江的肯德基总是比上海的更辣一些。

十年前，我正式开始了我的拉力赛生涯。

第一场比赛在上海佘山，彼时的拉力赛段，此时已是五星级酒店和山脚别墅。赛段的起点就在如今的世贸佘山艾美酒店，一起步就是数百米的大直线，然后拐进今天的月湖公园，那里也是记者和观众云集的地方。

记得2003年的比赛前夜，我进行了无数次幻想：人生的第一个转弯要如何呈现，是走一个非常标准的赛车线呢，还是炫目的漂移入弯，或者是中规中矩拐过去就行。结果是我没刹住车。我职业生涯的第一个转弯就以一把倒车开始。

很快，锦标赛就到了浙江龙游站。那里是砂石路。我喜欢拉力赛，就是因为少年梦想。看着那些拉力车手在山间树林里高速漂移，十多岁的我目瞪口呆。从那一天，我就立志要和他们一样。人哪，在青春期总是不承认自己有任何偶像，却忘记年幼时他们给你的力量。当系上安全带，戴上头盔，我觉得我所崇拜的拉力赛前辈们都附体在我身上。

然后，我第一个赛段就掉沟里了。

自然有很多人笑我。

其实在比赛的第一年，我的财力就难以坚持下去了。

2004赛季尤其艰苦，朋友的私人车队退出了，没有人要我，我只能自己修车。积累的版税花得差不多了，因为醉心赛车，便无心写书，经济上也没了后续，只能在衣食住上控制支出。北京一起玩车的朋友恰好又普遍富有，有时都不敢一起出去吃饭。有一个朋友家里做地产，见我居无定所，说出于情谊，答应卖我一套二环边的房子，一百多平米，十多万。我账上正好留了几万，是准备支撑之后几站比赛的，都没过脑，直接推辞了。当时我想，要是拼出来了，就算是对自己的童年幻梦有个交代，做个房东似乎从来不在我的梦想范畴之内。于是毅然决定给自己买了几条轮胎。因为买轮胎，遇上一个好心人，终于迎来了我人生第一个赞助商——米其林决定送给我六条轮胎。

虽然仅仅是六条轮胎，我也激动难抑——米其林毕竟是国际大厂商。这是我走向牛逼的第一步啊。这六条轮胎价值一万块左右，我又自己掏了几千，单独做了巨大的贴纸，把整辆赛车都贴满了他们的商标。领航不解，我说这叫感情投资。虽然赞助不多，但我这么一贴，人家就会觉得你仗义。朋友说你不愧是上海人，精明。我说哪里，远见而已。

比赛一开始，送我轮胎的哥们就跑过来，面露难色道，兄弟，我们只是帮助你，不需要你这么回报的。

我说，没事，滴水之恩，涌泉相报。

朋友欲言又止，走了。

后来有人来传话，问我能不能把这贴纸给撕了，因为轮胎公司总部的老外来了，突然看见有辆贴满自己商标不知道哪冒出来的赛车，非常不悦。

米其林有非常严格的赞助规定，一般只赞助能获胜的车手。我们对您的帮助不求回报，但您贴着一车我们的牌子，容易让外界产生误解。

我愣了有几秒，说，现在没时间了，等第一天比完再撕吧。结果一进赛段，因为赛车老旧，年久失修，没几公里避震器断了。我是一个对机械几乎一无所知的车手，只知道抛锚了要打开引擎盖假装看看，显专业。那时我连续好几场因为坏车而退赛了，此刻又逢其他车手开着全新的赛车掠过，我恨不得它卷起的土把我给埋了。手机同时响了，是朋友打来的。他问我，听说你又退赛了，别灰心，哦，对了，贴纸撕了没？

那是我第一次为拉力赛默默流泪。要知道如果你是一个充满争议的人物，一旦你做不好一件事情，人们对你的嘲笑很可能打击到你。我偷偷把车拖回了汽修店，无颜再去赛事维修区。

和励志电影情节不一样的是，接下来的比赛，我并没有逆袭。在第一个赛段，赛车爆缸了，活塞把缸体打了一个大洞，引擎室烧了起来。当时的我再也买不起一个发动机，但在火光照射下，我再没有感觉心酸。要知道坚固的事物都要经过烈火的锤炼，这火光既不能温暖我身，也不能焚毁我心。从那一天起，这件事情，我必须做到。每个人的身体，都有厚的地方，它们各不相同，有些人厚的是手上的老茧，有些人厚的是背上的污垢，有些人厚的是脸上的老皮，我愿自己厚的是心脏的肌肉。打死也不能放弃，穷死也不能叹气，要让笑话你的人成为笑话。

发动机烧了以后，我回到老家。邻居家发小韩春萍（他是个男的，于是喜欢管自己叫春平。大家的疑惑与我的疑惑一样，答案只有他爹妈知道）对我说，你骑自行车还不错的，但是赛车还是很难去赢全国比赛的，我们承认你在亭东村还是最快的。我说，你等着看吧。

后来的故事就是现在这样了。

132

2012年，这是我参加拉力赛的第十年。在第一次退出比赛的浙江龙游县城，我捧起了自己第三个年度车手总冠军的奖杯。高兴的是，我终于可以向春萍说我做到了，因为一次可能是侥幸，两次可能是运气，但三次说明我还可以。遗憾的是，我起步太晚了，能力有限，我相信自己在亚洲的拉力车手中也许还不错，但无法和那些欧洲人相比。我们的环境和我自己都不够好，也许更有天赋的人，能站上世界之巅的人，正在读着这篇文章，他甚至可能连驾照都没有。

我也明白了很多事。

他人笑你，是正常的，无论是主观还是客观，你当时都没有做好、没有做到，你有什么资格豁免被他人嘲笑？你的哭泣，你的遭遇，和别人的困苦相比，有什么不同之处么？每个人都想召唤上帝，每个人都会觉得自己快要过不去。他人鼓励你，那是你助燃的汽油；他人笑话你，也许是你汽油里的添加剂。

后来，我并没有和那些当年笑过我的记者们反目，反而到现在都是很好的朋友。虽然现在，我的赛车上已经被各种赞助商贴满商标，我用着倍耐力或者横滨无限量提供的最好的轮胎，开着最好的赛车，每场比赛都更换着最好的部件，但我还记得当年的那六条轮胎。那时我觉得我要争气，要让他们见识我的实力，现在我觉得我应该纯粹地感谢他们，并不是因为他们给我斗志，而是他们的确做得很好，又帮助了有潜力的车手，又确保了自己的商业原则，如果我是决策者，我也会这么做。你知道你能做到，别人觉得你也许可以做到，那么，少废话，做到再说，其他的怨气都是虚妄。自己没有展露光芒，就不应该怪别人没有眼光。

如果没做到，我也不会黯然抑郁。至少我童年的幻想不是赢得冠军，而是纯粹绑在拉力赛车里，像我的偶像们一样把赛车开成那样。

我知道这路漫长，甚至我的胜利未必能给我增添荣誉，反而还让外行误以为我们的全国锦标赛是个山寨比赛，居然能让一个写字的赢得冠军。不甚明了者倒无妨，可能还会有人反冒出恶意。没关系，总有这样的人，说起赛车只知道F1，说起足球只认识贝利。在他们嘴里，世界上只有一个叫比尔·盖茨的人在做生意。你做到了A，他们会说你为什么没有做到B；你做到了B，他们会问你为什么没有做到C。对于这样的人，无需证明自己，无需多说一句，你只需要无视和继续。做事是你的原则，碎嘴是他人的权利，历史只会记得你的作品和荣誉，而不会留下一事无成者的闲言碎语。

以此文献给我的2003—2012年拉力赛季，献给每一个认真做事不言放弃的朋友，献给每一台被我撞毁的赛车，献给为我祈祷和一直劝我退役的家人和朋友，献给和我并肩奋战的队友和技师们，献给2008年去世的拉力车王徐浪——我从你身上学到如何开车，我赛段里的每一个动作也许都有你的影子，你让我知道有些东西是不会磨灭的，你让我学会了笑对一切，你让我懂得世界上再多人企图抹黑，甚至这世界再黑，你只需笑，而且要咧开嘴，因为你的牙齿永远是白的。

青春就是一场远行

你的青春就是一场远行，一场离自己的童年、自己的少年越来越远的远行。

在和你们一样大的时候，十八岁，在一列从上海到北京的火车上，我的远行就这样开始了。

刚上火车的时候，我特别激动，终于可以离开我的父母、我的家乡、我熟悉的环境。终于可以离开他们去北京了，至于去北京干吗，我也不知道，据说搞文化的人都要去北京。现在我告诉大家，其实不是这样的，以后千万不要被这句话给迷惑了。搞文化，哪里都能搞，只要你有一颗想做事情的心，在哪里都一样。

在火车上，我就开始回忆。

上海到北京的火车，都在傍晚发车，没过多久，天就黑了。我看向窗外，很多昏暗的灯光，很多自行车，我就想起了我小的时候。

小时候特别特别喜欢骑自行车，在我们镇上，我是出了名的亭林镇最速男。我骑车很快，很多人只是因为在人群中多看了我一眼，就吓得躲开很远。

但是，有一件事我很自卑——我一直骑着一辆女式自行车。这说明经济独立特别重要。

我跟我的父亲说了很久，他终于答应，给我买了一辆山地自行车。有了这辆山地车以后，我就开始骑得更多更远，把整个镇上几乎所有的犄角旮旯都骑了一遍。和所有的山地自行车一样，不出一年，这辆车就被偷了。

让我们说回火车上吧。这一路我几乎没怎么睡觉，因为以前无论如何，我都是在家的旁边，骑十几公里车，等到了晚上，我都会回到我的家里。无论我那个时候多么叛逆，对父母多么厌烦，但我终会回到我的家里。

但到了北京以后，我的家就真真切切地离开了我一千两百多公里。我不知道我去北京究竟要干吗。那个时候也是我人生的最低谷。我那些在学校里的经历，已经用完了，我又不想再写校园小说，我希望写一些和社会有关的。可是，我刚刚踏上社会，这个社会在我面前刚刚打开，我对它一无所知。但是后来我找到了我所热爱的东西，那就是赛车。

我把所有的版税都用于参加赛车。我买了一辆赛车改装，然后就去参加全国锦标赛。但是因为版税很有限，所以我的车很破。那时候看着那些大车队的车手，从我眼前开过，脚一踩油门，就是噼噼啪啪的排气管的声音，特别响。我一踩油门，跟他们一样，也是噼噼啪啪的声音，但那是排气管掉在地上。

虽然头两年的成绩很差，但我一直很开心，因为我找到了一个目标。虽然我那个时候几乎把所有的钱都用光了，都快要租到北京的山里去了，但是，我还是很快乐。

是的，我想要说的其实跟远行没有任何关系。

我要说的是，你去哪里一点都不重要，旅途上任何一样景物，你要去的任何目的地，其实真的不重要。但是你的伴侣很重要，如果你和一头猪同行的话，你去哪里都会觉得像在猪圈里。如果你在路上，被一头疯狗咬了的话，你一样要去医院。所以，旅行不重要，你所热爱的是最重要的。你的青春就是一场远行，一场离自己的童年、自己的少年越来越远的远行。你会发现这个世界跟你想象的一点都不一样，你甚至会觉得很孤独，你会受到很多排挤。度假和旅行，其实都解决不了这些问题。

我解决这些问题的办法，就是不停寻找自己所热爱的一切。我喜欢骑车，喜欢远行，喜欢写作，后来喜欢赛车。我小的时候喜欢阅读，喜欢钓龙虾，喜欢踢足球。这就是我的兴趣，这些兴趣让我的人生有了目标，也让我有了一技之长，不给这个社会造成负担。

所以，远行不重要，去哪里不重要，找到自己所热爱的才重要。千万不要放弃，千万不要怕被他人嘲笑。因为无论你做什么，总会有一些人在后面笑你，你做得好，做得坏，都会有人笑你。不要怕被人嘲笑，哪怕你立志要做第一个华人美国总统，不要紧，just do it。

谢谢大家，谢谢。

编者按：本文根据湖南卫视2012年"成人礼"韩寒演讲"十八岁的选择——远行"整理。

其实我是一个作家

如果有一天，我终于拿到一个中意的总冠军，一定会很高兴地向大家宣布，其实我是一个作家。

我1982年9月23日出生，在上海的金山区亭林镇。

初中时，我的女朋友进了一个重点高中，我可能进不了，所以就拼命地发掘自己身上的特长。这时候我发现我跑步比较快，以前没有发现过。所以我就作为体育特招生，进了我们市的重点中学。

当时，我有两个特长：一个就是跑步，一个就是我觉得我写东西还行。所以我不愿意放弃玩的时间去写东西，那我只能放弃上课的时间了。

高中开学后，我就经常有很多课不及格。因为那时候——说穿了——是高估了自己的智力，总觉得那些课花一两个月补一补就可以了，以前翘掉的就翘掉了。但是后来发现，高中的数理化其实不像初中的数理化，没有那么简单，就自暴自弃了。

最后，我觉得实在待不下去了，老师马上就要开口说，学校可能要开除你了，于是就赶在学校开除我之前，主动递交了退学申请。老师问我，你出去以后当然不能危害社会啊，那你打算靠什么过活呢？我当时跟老师说，我打算靠版税、靠稿费啊。当时所有的老师都在那里笑啊，我也跟着他们一块笑。

在北京拿到了第一笔稿费。

当时《三重门》印了三万本，拿到了三万多块钱版税，当时肯定不够买车。后来出版社告诉我，你这本书卖完了，要加印两万本。我很高兴，有五万块钱了。我想，我能买什么车呢？可是市面上找来找去，没有五万的车，我说那就买个二手的吧。

再到后来，出版社告诉我，又加印了五万。一下子就有了十万，我很高兴，可还是买不起车。当时所有论坛都在讨论，富康、桑塔纳和捷达，到底哪一个性能强劲。当时只有这三款车，我都买不起。我特别喜欢北京吉普2020，但不知道多少钱。当时也没有官方网站，也查不到价格，我就觉得这车怎么都得要十几二十万，所以我就一直等。

等《三重门》印到二十万册的时候，我就背着现金去买车了。大概背着将近二十万的现金吧，因为那是我的一个梦想，觉得特别好。好不容易找到一家4S店，问他们，这车得多少钱，问的时候特别胆战心惊。他们告诉我说这辆车要四万多，当时我一下子犹豫了，就没买。所以说人有时候真的很贱，如果他们告诉我这个车十九万，我就买了。

在经过了一番选择之后，我买了一辆富康。因为我做了非常系统的研究：我觉得捷达不行，捷达是东北的出租车，桑塔纳是上海的出租车，我不能买个出租车在街上开。我一定要做个性之选，所以我就选了富康，开到北京去改装，结果他妈的一开到北京，发现富康是北京的出租车。

后来找到了上海的车队，上海大众333，在当时是全国最强的一支车队。车队老板说，你过来的话，至少还能给我们做做宣传嘛，我们也不要你跑什么成绩。

这辆赛车是我开的正儿八经的第一辆赛车，那年拿了两个冠军。

如果有一天，我终于拿到一个中意的总冠军以后，一定会很高兴地向大家宣布，其实我是一个作家。

编者按：本文根据贾樟柯纪录片《海上传奇》韩寒篇部分整理。

维权

既然全天下的一楼都送给百度了，真诚希望百度能更上一层楼。

我2011年加入作家维权联盟，并全权委托作家维权联盟处理互联网知识版权侵权事宜。具体的诉讼对象和诉求都由作家维权联盟决定。至于此次起诉百度的具体内容，我也是前天看到新闻才知道，在此说几句：

一、在这个知识版权最得不到保护的年代里，支持作家维权联盟和其他所有作家的维权行为。

二、建议作家维权联盟与百度能够和解双赢，探讨出更好的解决方法。我个人并不赞同维权联盟律师所提出的关闭百度文库的诉求，反而希望百度文库更加壮大，并创造出合理的互利模式，造福更多作家和使用者。这也是我在文章和采访中的一贯观点。

由于全权委托作家维权联盟，所以我并没有和代理律师有过任何接触沟通。必要时，我会联系律师，表明观点。我希望百度等商业巨头对知识版权的保护更规范，不要再伤害渺小的写作者，也勿将一切责任推卸给上传的网友，自己却从中获利。百度一方面称所有侵权内容是网友自发上传，难以控制；一方面对贴吧敏感帖子以及各种搜索结果控制得津津有味，难免自相矛盾。既然全天下的一楼都送给百度了，真诚希望百度能更上一层楼。

三、我本人在维权行为中得到的所有赔偿，都将归于作家维权联盟用于继续为其他作家维权。我也将全力支持其他作家的维权行为。

四、再说一句题外话，虽然有些人把出版行业误会成是一个有着巨大"利益集团和幕后黑手"的行业，但我深知这个行业的寒酸、简陋、缺心眼，也了解很多文字工作者的生活困境，加之这个行业触及意识形态，乃高危行业，特在此呼吁减轻出版行业的纳税负担，并大幅提高作者的最低稿酬标准。

编者按：2011年7月4日，"作家维权联盟"在北京宣告成立。该机构是公益性机构，运作资金主要靠捐款，成立该机构的主要目的是通过法律维权手段帮助作家打击互联网侵权行为。

碎片
——"一个"开篇语

有一个一直都在的人或事物，总是好的。

我买了两个手机，装了两个号码，生怕错过一个电话，结果错过了更多电话。我下载了微博，使用着微信，苹果电脑里依然留了一块地方给微软，结果少了老友相逢时的微笑。我装了卫星电视，甚至买了卫星电话，还住在卫星新城，结果发现自己很久没有抬头看那些繁星。要知道我小时候光看着星空就能呆坐两个小时，而现在未必有看两秒的心境。

我们知道的、得到的总是越来越多。

上次同学聚会，我们不再谈什么山脉，我们谈的都是人脉。

身边的碎片越来越多，新闻越来越杂，话题越来越爆，什么都是来得快去得快，多睡几个小时就感觉和世界脱节了，关机一天就以为被人类抛弃了。

有一天深夜，我的车在高速公路上抛锚。我的苹果在晚上九点就已经没电了，我的安卓在半夜十二点也没电了，我的车里有一堆充电的接口，可是我的汽车也没电了。

我翻出护栏，走下了高速公路，旁边就是田间的小径，好几百米外似乎有户人家。借着夜光，向着孤灯，步履蹒跚，终于到了这户人家前。这是最普通的江南农户，两层楼，水泥场，旁边就是一条不知道深浅的河流。

开门的老人有些提防。我说我的车在高速上抛锚了，手机没电了，能用下你的手机么？老人说，可以，但我没有手机，电话机在里面。

从他家出来，我恍如回到了自己童年的房子里。等待救援的两个小时里，我也只能看着星空。你以为我开始中意这原始的一刻么？不，我居然还惦记着苹果手机里似乎有个可以分辨星座的软件。没有手机真是太不方便了。然后我就睡着了。我梦见小时候，我挨家挨户去通知小伙伴们，今天晚上《成长的烦恼》又开播了。

醒来，我下意识第一个反应就是《成长的烦恼》应该是我看的第一部美剧吧。这都半夜一点多了，回家快去看最新的《生活大爆炸》。

抛锚的车被架在了拖车上，我坐在车里。不用抬头，从挡风玻璃看出去就是夜空。什么都太繁多了，什么都太短暂了。恰好正在设想一本文学杂志的内容，回去我就和朋友们说，我们做简单点吧。我已经忘记太多东西了。我记不住了。于是就有了你所看见的"一个"。每天都只有一张照片，一篇文字，一个问题和答案。但这也只是一枚碎片。因为我们不能回去了，不能简单了，所以才会对过往那些纯粹发出偶然的叹息。那就做一枚独特的碎片吧，就像那个没有手机和智能操作系统的夜晚，那只乳白色的老电话。

但总得往前走的，正如对于百年前的人来说，那只电话机也是匪夷所思的高科技。正如我们的后代也许也会有这么一个晚上，不得不翻出他们父辈的手机，然后大笑说，这居然也叫智能操作系统，真怀念他们那个年代。如果这款手机里还碰巧有一个叫"一个"的应用，希望你还记得那一枚碎片。这枚碎片不是新型的，也不是心形的，它的不规则是规则的。

今天写了这些开篇的文字，在这个位置，以后会有更多的小说、散文、评论。我写的，你所认识的人写的，你所不知道的人写的，甚至你写的。但二十四小时内只能服用一次，明天就是新的药丸，却治愈不了你任何的顽疾。记着也好，忘掉也罢，有一个一直都在的人或事物，总是好的。

让大家扫兴了

你所关注的一切就是你所看见的世界。

首先要告诉大家，"一个"是一个稀里糊涂的产品。很多看似英明的决定，其实都是稀里糊涂之间诞生的。为什么叫它产品？因为它不再是传统的杂志或者网页。你既然已经看到了首页的图片、后页的问答，那么在这个什么都可以装的"内容"一栏里，我来说一些关于它的事情。

终于迎来了"一个"的安卓版。它会在"豌豆荚"首发，然后在"应用汇"和其他的安卓应用下载商店出现。现在它算是基本完整了，当然，恕我们能力有限，除了iOS和安卓，其他的智能平台，我们暂时不开发了。有兴趣但无法看到的朋友也不用担心，未来我们会有纸质的出版物。

常有人问我，你这么做是不是为了绕开审查啊？我只能说，你太天真了。我告诉大家关于这个小小的App的成本吧。通常来说，两个平台的开发成本约40万元人民币，我们因为做了一些资源互换，所以节省了不少。技术维护的成本每年约10万。因为每天需要更新图文，且都是原创和约稿，需要诸多编辑，所以，每年的人员工资要超过100万。我们的稿费标准依然不低，每年需要支付的稿费近100万。所以，一个"一个"大概需要250万。好数目。这不是可以融资做大的交互式应用，也不是一劳永逸的工具类应用。得每天筹稿和更新，而且众口难调，又是免费下载，绝对吃力不讨好。不是我吓唬走其他人想独霸市场，而是建议别人不要像我们这么干，这太二百五了。那我们怎么赚钱呢？只能是最原始的方式——广告。它有用户，以后也许会更多。但这终究是古老而不稳定的，况且我们也没有那么多的地方放广告。我们还对广告的质量有要求，因此也拒绝了不少客户，读者们总不希望在春宵一刻打开页面时发现我们在卖春药吧。

哦，不好意思，我忘记了我要说的重点，那就是关于审查的问题。是的，我们可以随意上传内容，但只要一个电话，我们就下架了，意思就是，bye-bye，两天以后，没人会再谈起你了。

我相信在这百万用户里，一定有那么几个最忠实、最准点的用户是……好吧，不管你在帮谁做事，我也希望你能喜欢它，亲。

所以说，移动互联网上的独立App并不是一个绕开审查的好地方，因为它会变成一锤子买卖。体量大的应用不敢拿自己的公司去开玩笑，体量小的应用你喊吧你喊吧，你喊死了也没人听见。况且要开发一个App至少要耗资数万。无成本叫两嗓子，愿意的人多；有成本呐喊几句，恐怕就没那么多人会上了。对政治关心者，至少近期内你不会看见你想看见的App。这个还真不如注册一个微博实在，至少你能赶在小秘书找你之前说些什么。

对不起，扫大家兴了。

那么，未来是不是属于移动互联网的呢？必然是的，只是空间也许没那么多了。

朋友间流传着不少故事：某个关于App的想法换了几百万，某个App还没上估值已经几千万，某个已经上线的App还没多少用户就融了几亿，今天有一个美国人出让了公司百分之十的股份融资几千万美金，昨天有一个日本人……

哎呀，概念最重要……

其实这样的热情在十几年前已经有过一轮了，那会儿做个论坛喊上爹妈注册恨不得就能卖一百万。这世界上当然有好事，只是如果你听到了那些好事，因为那些好事而动心了，那些好事往往都不会掉在你头上。你想听好事么？我张口就能给你说十个。你想听坏事么？我一时说不出来，因为有十万个。

对不起，让大家扫兴了。

所以，我们还是老老实实吧。

看过iOS版"一个"的朋友也许会有这样的疑惑，为什么？为什么你们这么少谈时政？为什么你们不多多针砭时弊？这还是你们么？嗯，对于我们这样一群胸口中过枪，但只蹲下来系了个鞋带的人来说，我是有了一些新的感悟。

　　我了解，这个世界上很多人被踩了一脚以后会捂着胸口倒地。我发现，我们所谓的批判，我们自以为是的"启蒙"，我们所宣扬的那些，其实大部分都是重复传播。现在的环境就是这样，一群知道了1+1=2的人不停地向另外一大群早就知道1+1=2的人反复传播1+1=2。不少热闹多是虚妄。重复传播累积到了一定的时间就会引起逆反，无论你说得有多么正确。中国人有时候不那么在乎对错是非，他们在乎谁能让他们心里更舒坦。你想要的那些，微博就足够了。

　　事实上，我们做过调查，时政类和启蒙类文字的得票率在App阅读应用上是最少的。

　　很简单，你都用移动互联网来社交和约炮了，难道还不知道政治书上那些是扯淡？你早就看穿了这个扯淡的社会，甚至已经学会了去扯这个社会的淡了。对于政府，有人爱，有人恨，有人抱有希望，有人一直绝望，但不管怎么样，我们依然不善于良性讨论和互相妥协，依然执着于党同伐异和批倒批臭，以至于很多人都进入了疲劳期。人们对政府疲劳，对反政府也疲劳。在这个社会里，用阴谋论和动机论就能解释和打倒一切。当你知道了大众心态就是"存在即合理，但如果你存在得比我好即不合理"，你也许就知道最终能留下些什么了。

对不起，又让大家扫兴了。

我们其实就是想老老实实做点小编工作。这个应用一开始没有安卓是因为我的无知，我好几年不用安卓手机，一直拿着忽方忽长的苹果，周围一些朋友也多用苹果，所以我以为全世界都用苹果——我把自己的眼镜框当成了天际线，把自己蹓跶过的路线当成了赤道。后来我才发现，安卓的产品已经日新月异，用户也远多于iOS，所以赶忙做了安卓。这就是封闭在一个小空间里的狭隘。这种狭隘还常见于有微博瘾的人，他常会拖着一个人说，你知道吗，出大事了，那个谁谁谁他咋咋咋了，都传疯了，火了，彻底火了，这下没法收场了。还是那句话，你所关注的一切就是你所看见的世界。

以前的我很蠢，老想着去改变一些什么，其实什么都不会被改变，只是不同时间有不同的显现而已，一切早就存在好了，存在好的是无法改变的，但让什么存在是能去努力的。

哦，还有，我对所谓的自媒体并不乐观。所以我们新的"一个"的版本里，包括iOS的更新中，把"韩寒"两个字去掉了，现在它就是美观的蓝黄相交的logo，再也没有那个看着碍眼的"han"和我的名字了。

我要是用户，我就下不了logo里还带着主编名字的应用——我又不是要加入你的粉丝团，你再有名，关我鸟事。

对社会名人自媒体的高看其实就是人有了一点名气和号召力以后对自我的认知产生了偏差，谁都别以为自己是个人物。所谓号召力都是空的，说话顺耳就叫号召力，哪天逆耳了就弄死你，这就是自媒体的下场。举凡个体，都是容易被搞的，举凡个体，也有受众的局限。

有人说，微博名人的影响力超越了某些媒体平台甚至大型党媒，堪称媒体中最有影响力的，这绝对是迷失在幻想里了。很简单的道理，你去搞央视，你可以给自己收获点掌声，人家该怎么样就怎么样，央视真不要脸了开始无下限搞你，你十年内连大门都不敢迈出去。千万别以为你的转发量比一些媒体蓝V高就误判了形势，彼岸远未到达，不要停桨不划，更不要同船互伐。

自媒体的意义在于每一个个体的自由，在于可以随意选择自己爱看的媒体，而不是一群大V的拥粉自重，包括我在内。这也是我改动"一个"logo的原因，我不想让人误会这是我的个人移动应用或者粉丝团内刊。文化作品必须有很重的个人化烙印，但文化产品只有去个人化才能走得更远。我只是一个创始人而已，如果它天天贴着创始人的标签，那它可能会有十万人下载；如果它无所谓自己的创始人是谁，那它可能有百万人下载；如果它能反思批评自己的创始人，那它可能已经有了千万人下载。"一个"的App获得一点成功以后，一些明星也正好推出自己的App产品，里面都是照片视频或者最新资讯，有媒体把这些放在一起对比，那显然是会错意了。后者当然不错，能直接把信息传递到最忠实的粉丝眼前，但"一个"明显不是这样的东西，它根本不是属于任何人的自媒体，它是由很多优秀作者和编辑一起努力的一个产品。我，也只是其中的"一个"。

这只是一个你睡前或者起床后能读一读的阅读应用而已。如果你因此笑了，哭了，想到些什么了，那我们很高兴。因为我小的时候，就习惯躺在被窝里看书。甚至我所读到的那些都会幻化成梦境。选择在每个天与天的交际——半夜12点更新，也是如此。当然，你可以选择白天看，白日梦更美。要感谢那些早早陪伴着我们的苹果设备用户。今天起，你们会多很多并没有交集的伙伴。

最后，祝大家享受阅读的快乐。世界上那么多纷纷扰扰，能真正和你产生关系的不多，外面世界那么冷，要记住那个帮你暖被窝的。

尴尬事

记忆中的尴尬事是什么啊，说来听听。

一、上学，食堂吃完午饭，向心仪的女孩子表白，她一直异样地看着我。后来才知道我脸上挂着饭粒。

二、几年前，电话采访，说半天驴唇不对马嘴，于是想在电话本里把这个记者的名字存成"傻记者，再不接"。手机是诺基亚的塞班系统，一走神把存入电话本选成了发送一个信息，脑子抽筋了居然没发现，直到按确认，手机显示"信息已发送"才回过神。恨不得空中把这消息抓回来。揪心等待半天，记者回了个短信，是省略号。出于愧疚，以后每次都接他电话采访。

三、汽车比赛试车，上去开了半天，感觉不对，指责车队将我的幸运反光镜和女朋友送的爱心排挡头都换了。车队问了半天，也没查出是哪个技师干的。我再去检查时又完好如初，大家百思不得其解。直到某天我为队友试车，才发现那次是我自己爬错了一辆车。

四、一次开车，遇红灯停车，被追尾，下车，后车司机愤怒道，你为什么踩刹车？我居然条件反射来了一句"对不起"。缓过神来才问对方，你为什么不踩刹车？

五、小学放学都是骑自行车回家，从大马路拐到回家的小路是个下坡的高速弯，每次都喜欢全速下坡，享受劈弯快感。弯道边是个老人活动室，观众多，所以更兴奋。终于有一次在众目睽睽之下摔得鼻青脸肿，因为我忘了自己那天是从马路的反方向骑过来的。

六、初中第一次约会，骑车，后座带女孩子，蹬得格外卖力，链条断了。

七、好几年前，记者问我对网络恶搞你是同性恋怎么看，你是攻是受。当时不懂攻和受的意思，回了一句，我当然是公。

编者按：韩寒在2012年10月24日"一个"上答读者问。

156

东望洋

所谓深刻就是深深刻在你身上，扎一刀，喊一句，再扎一刀，再喊一句，多扎几刀，拧一下，就安静了。

第一次去澳门，到了传说中的东望洋赛道，也知道了澳门其实不兴吃豆捞。

最早看到东望洋街道赛是在电影《阿郎的故事》里，周润发扮演的阿郎参加摩托车赛，高速撞墙，最终在一片火焰里死去。我很多次宽慰朋友说，这是电影，导演需要阿郎死。替身很疼的。真实的赛车很安全。

真实的世界里不能重拍，也没有替身。赛道上昨天就传来噩耗，一位来自欧洲的摩托车手路易斯撞车身亡，另外一位重伤。今天又得知香港车手邱先生发生意外，最终不治。59届澳门格林披治如同此刻澳门的天空一样阴霾。两天两位车手离开，如同1994年的伊莫拉。作为同行，我也只能在这冬雨里向文华东方弯的方向敬支烟、洒杯酒。

自从开始这职业，我就一直听闻眼见自己相识或不相识的车手去世。今天还是对手，明天就永隔了。发生意外的弯道就在我住的酒店楼下几百米处。这两年写了太多关于朋友离开的文字，也不知说什么好。家人一直劝我退役，说一来危险，二来以后你老了，成绩差了，人们都会落井下石的，趁这两年不错，急流勇退吧。说的都没错。

但，如果你准备好去打仗，你就得知道敌人扔过来的不会是面包；你准备好去探险，就得知道山谷里没有七尺大床。写东西的人都爱谈生死，觉得深刻。有人喜欢看透，有人喜欢解构，往往没怎么经历过的人会有一堆感悟，经历越多反而要说的越少，死去活来的那些也许早就生死疲劳了。所谓深刻就是深深刻在你身上，扎一刀，喊一句，再扎一刀，再喊一句，多扎几刀，拧一下，就安静了。

我常想起死去的那些朋友们。我能做的就是躺下睡觉、闭眼、再睁眼，把车的反光镜涂成黑色，绑上安全带，戴上头盔，停到发车位，继续。

用自己小说里的几句话来结尾吧：

"他们先行，我替他们收拾着因为跑太快从口袋里跌落的扑克牌。我始终跑在他们划破的气流里，不过我也不曾觉得风阻会减小一些。他们替我撞过了每一堵我可能要撞的高墙，摔进了每一道我可能要掉落的沟壑，然后告诉我，这条路没有错，继续前行吧，但是你已经用掉了一次帮助的机会。再见了，朋友。"

我只希望我可以自由地写作和说话

我们现在看到的所谓舆论环境好转或者恶劣，都是因为科技和载体的变化。很多改变是被迫做出的，但这也是好事。

你的书第一次被翻译成英文。对于你的作品在英语世界中的反响，你有怎样的期望和担忧？

我对此没有什么大的期望，甚至没有关心自己的文字什么时候被翻译成英文。

一个写作者用母语完成写作后，一切都变成了既定事实，所有的担忧和期盼都是虚妄。况且我的文章不以故事取胜，更多的是文字片段，所以会很难翻译。

你认为自己的作品中会有令初次阅读的西方读者感到意外的东西吗？

我认为这个问题由读者来回答是最公正的。

在你参与的各种活动中，哪个对你来说是最重要的？

比赛最重要，因为它的时间是定死的，我必须要在那一刻待在赛车里并准备发车。其他事情的时间都可以由自己决定。最近，我在全国汽车拉力锦标赛和场地锦标赛中都领跑车手积分榜，所以更不能松懈。

当点击博客上的"发博文"按钮后，很快就会有数百万人阅读你刚刚写的东西，你对此有什么感觉？

要检查错别字。

你有没有曾经在博客上发表了一篇文章，过一会儿又感到后悔的情况？

有，常常，比如写关于"五道杠"少年黄艺博的挖苦文章，虽然看着爽，但是会对一个孩子造成伤害。

你认为西方对当代中国最严重的误解是什么？

最严重的误解是认为中国误解了西方。其实大部分人什么都明白。

早期你的定位是一个局外人，但过去十多年来你一直是一个很有影响力的公众人物。这使你的写作风格产生了怎样的变化？随之而来的责任和风险令你疲惫吗？对此你是如何应对的？

会，十年做一件事情，再喜欢，也会疲惫。当你越做越好，也会有越来越多的阴谋论和动机论。所以我会多写小说和多比赛来调节，就像吃多了咸的就想吃甜的。

有哪些富有创意的活动是你没有尝试过但希望有机会尝试一下的？比如说，有一天你会出演电影或执导电影吗？

也许。但是你知道，在内地没那么容易，我们做事情遇到的困难往往不是来自事情本身，而是会有各种各样的人来对你做的事情指手画脚，而且太多人能决定你不能这么做。

对于中国政府当前的政策目标，人们讨论最多的是增强中国的"软实力"和在海外的文化影响力。你的作品英译本的出版可以说是真实的当代中国文化进入西方世界的罕见例子。你的书将在西方被人们讨论，或许有机会施加一些影响。你对自己的书扮演这样的角色有什么看法？

没有什么作用。砸钱来提高自己文化的影响力，或者以为用几十亿就能让中国现代的文化艺术产品输出到国外去，这是不可能的。你不能一边掐着人家的脖子，一边撒钱，一边又要求人家唱出天籁之声。就算我的书，也是一样。它是局部的，不是世界的。

要输出强大的文艺作品和文化，只要三个字就行了，那就是"少管些"。

编者按：2012年10月9日，西蒙与舒斯特出版公司(Simon & Schuster)出版韩寒的文集《这一代人：中国最红文学明星（与赛车手）的博文》［*This Generation: Dispatches From China's Most Popular Literary Star (and Race Car Driver)*］。该书收录了韩寒自2005年开始写博客以来的作品。文集涵盖了过去几年中，让韩寒和很多中国人陷入思考的一些大大小小的社会政治议题。

本文根据2012年9月5日《华尔街日报》专访整理。

我最终想要的是一个和谐的人生

我觉得有一天没人关心我了，这个世界肯定更加美好。

从你写《三重门》到现在，正好十年，这也是新世纪的十年，中国、世界和你都发生了很大的变化，你怎么总结自己的十年、中国的十年？

就像十年前，你送人家一个杯子代表一辈子，现在你肯定不好意思送人家一个杯具一样，其实时间只是改变了时代，而很多东西本身并无变化。对于我本人而言也是如此，我不觉得我这个十年有了翻天覆地的变化。对于这个国家其实也是这样，很多东西并无变化，只是所有以前存在的东西都扩大化了而已。它也是在被时代推着走，但是由于重量太大，所以时代也经常推不动它，或者进三步，退两步。

2006年3月你跟白烨、陆川、高晓松在网上打架，游戏性、

娱乐性大过了观点的表达，大家看得很乐，现在你还有可能做这种事吗？

这事实在不是我能控制的，我的本意其实是要正儿八经地探讨文学，结果跑题很远。主要是主动跳进来的人跑题太远了。我觉得作为练手，都没有问题。而且以前我们表达观点的文章可能太无趣，既无趣又无煽动力，其实看的人更少，那还不如大家一起玩得开心一点。至于有些脏字，实在是情不自禁脱口而出，我赛车的时候脏话说得更多，要撞车的时候几乎所有车手都会骂出脏话。但是我的脏话都是用于表达心情，针对的只是一种心情，而不是具体的个人。没有人身攻击，单纯地表达一下当时的心意。至于更重要的事情，我认为让自己开心才是最重要的。乐趣是一切的推动力。可能大家理解的更重要之事的范畴不一样。

从那时起到现在，你肯定有了变化，当然别人只是在你的文字中看到这一点，觉得你更关注公共事务了。就你自己而言，你有了什么变化？

我没有什么变化，只是突然有一天，我发现个体都不和我玩了，我只好玩组织。

有人说"如果有一百万个韩寒就好了"，这说明了你个人的重要性，也说明了这个社会渴望有影响力的、犀利的声音，你怎么对待这种期待？

我觉得有一天没人关心我了，这个世界肯定更加美好。

至少在文字中你很擅长论理，对你来说，论理这个事，最重要的一点是什么？

我觉得论理最重要的一点就是不用典，以前我还喜欢说，曾经有个故事，我朋友身上发生过什么什么，某某人怎么怎么，某个国家曾经怎么怎么，但我发现当论理彻底不需要典故的时候，才是强大的。

你的杂文很有批判性，但较少意识形态色彩。你自己也说："我是一个没有立场只分对错的人。"那么，你写这些文章的目标是什么？你是否认为体制的改变是艰难和长期的，更应从一个现实的角度去促进公共生活的点滴改善？

一切都是路见不平，拔笔相助而已。我小时候想当个记者，觉得记者可以把所有不公平的事情都披露出来，后来我发现报纸不是记者自己家的，决定记者命运的还有编辑、总编辑，甚至其他各色的编审。

像我这样写文章的人其实很多，我只是一万介书生中的一介，只是可能我是畅销书作者，所以读者相对多一些。而所谓体制的改变，我认为给我两三百字就已经能写明白了，再多写就是重复。很简单，适合人类的就是适合世界的，除非你不是人。至于从现实的角度促进公共生活的改善，其实这样说太严肃了。看到一些现实事件时，即便我是一个懒人都忍不住充满了创作的欲望，你说这些事有多操蛋。

有没有朋友、熟人会给你提供题材？比如，"韩寒你该谈谈这个。"

这个倒是从来没有，因为他们更习惯于看，而且我写的时候他们都睡了。

你的博客可以算作一个很有影响的媒体了，这个媒体的理念是什么？

这个媒体的理念是免费阅读，但是不保证出版周期。

你会不会因尖锐批评对方而感到尴尬？比如说在嘉定世博论坛发完言，你离开时，当地领导会握手送别吧？

领导都会和我握手，我们居然还一起吃了饭。我们和领导们是两个资讯系统的生物。

如今中国的知识分子越来越认同你和支持你了，可你以前被当作是一个反智的先锋，这矛盾吗？

冒昧地问一句，什么叫反智的先锋？我其实是今年才搞清楚左派和右派的区别。我想，我会争取做一个繁殖的先锋。

能否列举几个你尊重的活着的中国人？

中国人往往活着活着就活不明白了，所以他们在死前，随时有自我践踏的可能。我觉得还是等他们死了再评判比较好，至少死人不会性情大变。

你觉得什么最讨厌？无论是私人领域还是公共领域。

最讨厌的是那些号称数理化很好，但是在逻辑上很傻的笨蛋们。互联网多年，出现了很多聪明人，但完全没能稀释这个世界上笨蛋的浓度。

其次，我最讨厌失败。

最终你想要的是什么，一个精彩的人生，一个传奇的人生，还是什么？

一个和谐的人生。

编者按：本文根据2009年12月31日《南方周末》专访整理。

代跋

写作三种，神凡两忘

神不保佑你，因为神就是你所理解的你自己。

写作三种：说服你，拉拢他，剖析我。

最早的我一直在第一种，后来发现容易背叛自己。于是我到了第二种，又发现容易迎合大众。我一直在去往第三种，路上有反复，有踌躇，有代价，有痛苦，但那才是一个真正的写作者要去的地方。否则你只是一个饭局作家，一个去了香港买了本地摊杂志就假装知道中国政治内幕的碎嘴文人。

他们不是我的儿子，我没有教育的义务；他们不是我的车子，我没有修理的必要。

关于体制和其他，关于先有鸡还是先有蛋，无需多说。如果先有了鸡，那就让鸡生下蛋；如果先有了蛋，就让蛋孵出鸡。

拉力赛的时候我就想明白了，除了那几个特地早起来看你比赛的至亲至友，满山遍野的人都是看热闹的，其中很多是来看翻车的。

生活亦如是，冷暖几人知。

我曾经说，世间无神，我从没在神坛，凡人乐趣多。当时一来真心这么想，二来提防人捧和摔，如今想多一些，觉得自己看得肤浅。因为我就是神。每个人都是自己的神，爱你者的神，你所支配的世界里的神。行善不作恶，创造不伐异，即为神。那些享有绝对权力而作恶者，是妖是魔，不是神。被神化者更非神。用各种借口砸神者，往往要塑魔。

神不保佑你，因为神就是你所理解的你自己。

诸神再会，万恶莫作。

我所理解的生活 韩寒/著

韩　寒

1982年9月23日出生

作家、赛车手

出版作品

长篇小说《三重门》

散文集《零下一度》

长篇小说《像少年啦飞驰》

散文集《就这么漂来漂去》

妙语录《毒》

佳句选《草》

杂文集《通稿2003》

长篇小说《长安乱》

长篇小说《一座城池》

长篇小说《光荣日》

杂文集《杂的文》

长篇小说《他的国》

杂文集《可爱的洪水猛兽》

主编杂志《独唱团》

长篇小说《1988：我想和这个世界谈谈》

杂文集《青春》

博客：http://blog.sina.com.cn/twocold

微博：http://weibo.com/hanhan

感谢您选择果麦图书，敬请关注更多优秀文学作品。

《谈笑间》

乐嘉 著

浙江文艺出版社

乐嘉的人生智慧尽在于此。
谈笑间，勇敢地穿越尘世。

我所理解的生活

出版统筹｜瞿洪斌　责任编辑｜金荣良　特约编辑｜宋君　赵海萍　孙雪净

后期制作｜顾利军　特约监制｜梁拥军　责任印制｜蒋建浩　营销策划｜何旋

策划人｜路金波

官方网站：http://www.guomai.cc
官方微博：http://weibo.com/gmguomai

图书在版编目（CIP）数据

我所理解的生活 / 韩寒著. -- 杭州 : 浙江文艺出
版社, 2013.1
　　ISBN 978-7-5339-3549-8

　　Ⅰ. ①我… Ⅱ. ①韩… Ⅲ. ①随笔－作品集－中国－
当代 Ⅳ. ①I267.1

　　中国版本图书馆CIP数据核字(2012)第283337号

责任编辑　金荣良
特约编辑　宋　君　　赵海萍　孙雪净
封面设计　余　雷

我所理解的生活
韩寒　著

出版　浙江文艺出版社
地址　杭州市体育场路347号　　　　邮编　　310006
网址　www.zjwycbs.cn
经销　浙江省新华书店集团有限公司
印刷　三河市杨庄双菱印刷厂
开本　880mm×1230mm　　1/32
字数　109千字
印张　5.75
版次　2013年1月第1版　　2013年1月第1次印刷
书号　ISBN 978-7-5339-3549-8
定价　29.00元